LATITUDES 1

Méthode de français

A1/A2

Cahier d'exercices

Régine Mérieux
Yves Loiseau

Crédits photographiques, illustrations et textes

12, c, Michael Morodi/Fotolia.com – **12, d,** Melisback/Fotolia.com – **12, e,** Mauritius/Photononstop – **12, f,** Cédric/Photononstop – **12, g,** Tips/Photononstop – **12, h,** Sime/Photononstop – **14,** Absodels/Getty Images – **17, bc,** Elisabeth Barreau – **17, bd,** Rick Gomez/Zefa/Corbis – **17, hg,** Nossa Productions/Risser/Getty Images – **18, a,** Jean-Marc Charles/Age/Hoa-qui/Eyedea – **18, b,** Jeff Greenberg/Age/Hoa-qui/Eyedea – **18, c,** Maurizio Malangone/Fotolia.com – **18, d,** Allison Michael Orenstein/The Image Bank/Getty Images – **19, 20, bcd,** Aaron Farley/TheImage Bank/Getty Images – **19, 20, bcg,** Jed Share and Kaoru/Corbis – **19, 20, bd,** Justin Pumfrey/Iconica/Getty Images – **19, 20, bg,** Jonesy/Zefa/Corbis – **23, a,** Pascal Péchard/Fotolia.com – **23, b,** Scott Markewitz/Getty Images – **23, c,** Fotoliall/Fotolia.com – **23, d,** John Kelly/The Image Bank/Getty Images – **23, e,** Oliver Tuffé/Fotolia.com – **29,** Gérard Drout Productions S.A. – **32, hd,** Sylvie Baudet – **32, mg,** Vincent Le Quéré – **39, hc, mhd,** Reza Estakhrian/Taxi/Getty Images – **39, hd, mhc,** Mark Scheuern/Alamy Images – **39, hd, mhg,** Sylvie Baudet – **39, mbc, bc,** A. Inden/Zefa/Corbis – **39, mbcd, bd,** Sylvie Baudet – **39, mbcg, bg,** Rafal Strzechowski/BSIP – **39, mbd, bcg,** Sylvie Baudet/DGTPE – **39, mbg, bcd,** Samuel Ashfield/Science Photo Library/Cosmos – **41,** Emilia Stasiak/Fotolia.com – **42,** Michanolimit/Fotolia.com – **53, a,** Théâtre Romain Rolland – **53, c,** Avec l'aimable autorisation de la BnF – **53, d,** Pathé Belle Epine – **54, e,** ASM Clermont-Auvergne – **54, f,** Château Rouge – **55,** Juan Mora – **55,** Maria Mora – **59, bd,** Aldegonde le compte/Fotolia.com – **59, bg,** Lucas Lenci Photo/The Image Bank/Getty Images – **59, mc,** Eric Issélée/Fotolia.com – **59, md,** Balogh Eniko/Fotolia.com – **59, mg,** Trujillo-Paumier/Riser/Getty Images – **60, hcd,** Natashahorsburgh/Fotolia.com – **60, hcg, hd,** Juan Mora – **60, hg,** Monika 3 Steps Ahead/Fotolia.com – **60, mcd,** Joe Gough/Fotolia.com – **60, mcg,** Claudio Calcagno/Fotolia.com – **60, md,** Yuri Arcurs/Fotolia.com – **60, mg,** Gautier Willaume/Fotolia.com – **61, hd,** Philippe LG/Fotolia.com – **67, a,** Alexander Schulz/Fotolia.com – **67, b,** Foxytoul/Fotolia.com – **67, c,** Matteo Natale/Fotolia.com – **67, d,** Amine Oulahcen/Fotolia.com – **67, e,** David Hughes/Fotolia.com – **67, f,** Andrei Nekrassov/Fotolia.com – **67, g,** Suziwheatley/Fotolia.com – **76, a,** Peter Högström/Fotolia.com – **76, b,** Dumitrescu Ciprian-Florin/Fotolia.com – **76, c,** Ggklem/Fotolia.com – **76, d,** Idrutu/Fotolia.com – **78, a,** Schneider D./Urba Images/Frédéric Borel, façade Université des sciences d'Agen 1997/Adagp, Paris 2008 – **78, b,** Photo Palais Justice Evreux, architectes Jean-Pierr Lott et Jean Dubus – **79, c,** Sylvie Baudet/Christian de Portzamparc, La Bibliothèque les Champs Libres, Rennes 1993/Adagp 2008 – **79, d,** Ben Johnson/Arcaid/Corbis/Jean Nouvel, Institut du Monde arabe, Paris 1987/Adagp 2008 – **82,** Signals – **90,** Hervé Hughes/Hemis.fr – **91, bd,** Ludovic Maisant/Corbis – **91, hg,** Danielle Bonardelle/Fotolia.com – **91, mbg,** Kim Steele/The Image Bank/Getty Images – **91, mhd,** Bernadett Szombat/Fotolia.com – **92, hd,** Pavel Losevsky/Fotolia.com – **92, hg,** Cryssfotos/Fotolia.com – **96,** Cyrano/Fotolia.com – **100,** Office de tourisme de Perpignan – **106, a,** Gilles Paire/Fotolia.com – **106, b,** Philippe Roy/Hoa-qui/Eyedea – **106, c,** Michel Renaudeau/Hoa-qui/Eyedea – **106, 107, d, e,** Philippe Roy/Hoa-qui/Eyedea – **118,** Muriel Barbery, *L'Élégance du hérisson*, © Éditions Gallimard – **126,** Acontrecourant.com, DR – **127, a, e,** Objectsforall/Fotolia.com – **127, b,** Eric Martinez/Fotolia.com – **127, c,** Photlock/Fotolia.com – **127, d,** Rémy Vallée/Fotolia.com – **133,** Sashagala/Fotolia.com – **138, hd,** Les Ogres de Barback – **138,** mg, Pascal Guyot/Afp – **138, hd,** Dimitiros Papadopou/Newscom/Sipa Press

Nous avons recherché en vain les éditeurs ou les ayants droit de certains textes ou illustrations reproduits dans ce livre. Leurs droits sont réservés aux Éditions Didier.

Conception et direction artistique de la couverture : Christian Dubuis Santini, Agence Mercure.

Principes de maquette pages intérieures (hors réalisation et iconographie) : Christian Dubuis Santini, Agence Mercure.

Mise en page : SYNTEXTE – **Photogravure :** MCP

Illustrations : HERVAL

Montage photos : Solène OLLIVIER : page 55

Enregistrements, montage et mixage : FREQUENCE PROD

PAPIER À BASE DE FIBRES CERTIFIÉES

éditions didier s'engagent pour l'environnement en réduisant l'empreinte carbone de leurs livres. Celle de cet exemplaire est de :
350 g éq. CO_2
Rendez-vous sur www.editionsdidier-durable.fr

 - ISBN 978-2-278-06263-8 - Dépôt légal : 6263/23
Achevé d'imprimer en Italie en avril 2017 par La Tipografica Srl - Varese

SOMMAIRE

→ *Livre, pages 10 et 11*

2 Exercice 1 → **Écoutez et cochez ☒ la réponse qui convient.**

1. ☐ Au revoir.
   ☐ Bonjour, madame.
   ☐ Tchao.
2. ☐ Au revoir, monsieur.
   ☐ Bonjour, monsieur.
   ☐ Oui, salut !
3. ☐ Ah, merci. Au revoir.
   ☐ Ça va, et toi ?
   ☐ Oui, d'accord.
4. ☐ Au revoir, monsieur.
   ☐ Bien, merci, et vous ?
   ☐ Oui, s'il vous plaît.
5. ☐ À lundi.
   ☐ Bien, merci.
   ☐ Ça va, et toi ?
6. ☐ Au revoir, Myriam.
   ☐ Bonjour, madame.
   ☐ Vous allez bien ?

Exercice 2 → **Lisez et complétez les dialogues.**

1. — ...., monsieur Jolibois.
   — Bonjour, madame Godard.
   — .... bien ?
   — Bien, ..., et .... ?
2. — ...., Audrey. Tu .... bien ?
   — Salut ! .... va ! Et .... ?
   — Bien, merci.
3. — .... madame. Benoît Barbot.
   — Bonjour, monsieur.
   — Monsieur Nader Housseini, s'il vous ....

3 Exercice 3 → **Écoutez et cochez ☒ *tu* ou *vous*.**

	1	2	3	4	5
tu					
vous	X				

Exercice 4 → **Quels sont les jours de la semaine ? Complétez.**

lundi, ..., ..., jeudi, ..., samedi, ...

Entrer en contact

→ *Livre, pages 12 et 13*

(4) Exercice **5** → **Écoutez et écrivez les mots que vous entendez.**

1. .... **3.** .... **5.** .... ?

2. .... **4.** .... **6.** ....

Exercice **6** → **Associez les phrases pour former des minidialogues.**

— Merci. •	• — Sophie Dumont.
— Ça s'écrit comment, votre nom ? •	• — Tchao.
— À demain. •	• — Je vous en prie.
— Votre nom, s'il vous plaît. •	• — C, H, A, deux P, E accent aigu.

L'alphabet

Exercice **7** → **Écrivez les lettres qui manquent**

1. a b c ...... e f g ...... i j k ...... m n o ...... q r s ...... u v w ...... y z

2. z y ...... w v ...... t s ...... q p ...... n m ...... k j ...... h g ...... e d ...... b a

(5) Exercice **8** → **Écoutez et ajoutez les accents ou la cédille.**

Exemple : **1.** *plait* → *plaît*

2. repetez **4.** cafe **6.** voila

3. lecon **5.** hotel **7.** fenetre

(6) Exercice **9** → **Écoutez et écrivez le nom des personnes.**

1. .... **3.** .... **5.** ....

2. .... **4.** .... **6.** ....

En classe

Exercice **10** → **Regardez et complétez.**

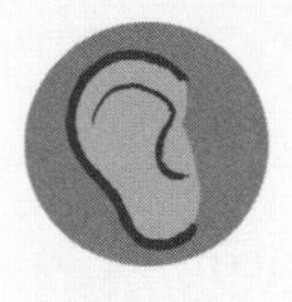
Écoutez.

....

....

....

....

Se présenter

→ *Livre, pages 14 et 15*

7 Exercice **11** → **Écoutez et complétez.**

	homme	femme	nationalité (*il* ou *elle est…*)	ville
Carlos	X		*brésilien*	☐ Bahia ☒ Brasilia
Akiko			....	☐ Tokyo ☐ Kyoto
Francisco			....	☐ Madrid ☐ Paris
Nataliya			....	☐ Budapest ☐ Bucarest
Qin			....	☐ Londres ☐ Lyon

Être

Exercice **12** → **Soulignez (Soulignez) le mot qui convient.**

1. (Aiko / Je / Tu) est française.
2. (Fabio / Je / Vous) suis étudiant.
3. (Ma mère / Tu / Vous) êtes brésilien ?
4. (Aiko / Je / Tu) es japonaise ?
5. (Ma mère / Je / Vous) est espagnole.

Exercice **13** → **Complétez les phrases avec les mots qui conviennent.**

1. Je .... chinois.
2. Aiko .... étudiante.
3. Tu .... français ?
4. Ma mère .... japonaise.
5. Vous .... étudiant ?

Quelques nationalités

Exercice **14** → **Complétez.**

1. France → Il est *français.*
2. Japon → Il est ....
3. Brésil → Il est ....
4. Chine → Il est ....
5. Belgique → Il est ....
6. Allemagne → Il est ....
7. Maroc → Il est ....

Exercice **15** → **Complétez.**

	français	belge	canadien	sénégalais	russe	coréen
	....	....	....	....	....	....

Exercice **16** → **Soulignez (<u>Soulignez</u>) le mot qui convient.**

1. (Aiko / Fabio / Tu) est française.
2. (Ma mère / Vous / Il) êtes allemand ?
3. (Monsieur Dubois / Je / Elle) est brésilienne.
4. (Madame Lachkar / Tu / Vous) es suisse ?
5. (Monsieur Garcia / Madame Ferrari / Il) est mexicaine.

Exercice **17** → **Écrivez la nationalité de chaque vache.**

chinoise – allemande – mexicaine – française – brésilienne – russe – égyptienne

1. Vache *égyptienne*

2. Vache ....

3. Vache ....

4. Vache ....

5. Vache ....

6. Vache ....

7. Vache ....

Les nombres de 0 à 10

Exercice **18** → **Écrivez les nombres en lettres.**

2 : *deux* 6 : .... 10 : .... 8 : ....

9 : .... 3 : .... 5 : .... 4 : ....

Exercice **19** → **Entourez les nombres de 0 à 10.**

t	r	i	s	h	q	u	a	s	d
i	n	h	q	u	a	t	r	e	i
d	e	u	a	n	h	u	i	p	s
h	u	i	t	r	o	c	e	t	e
c	f	x	r	o	(d	i	x)	e	r
e	z	r	o	i	e	n	i	x	o
n	e	f	i	x	u	q	s	u	c
q	u	a	s	e	p	d	i	i	n
i	x	e	i	d	e	u	x	t	q
s	e	p	z	é	r	o	n	e	u

8 Exercice **20** → **Écoutez et écrivez le nombre que vous entendez.**

phrase a	phrase b	phrase c	phrase d	phrase e	phrase f
sept	....	....	....	....	....

S'excuser

→ *Livre, page 16*

9 Exercice **21** → **Écoutez et complétez les dialogues**

1. — ...., Émilie Leduc, ...

— Oui, vous êtes ?

— Vincent Boileau.

2. — .... monsieur. Vous êtes Thierry Beaupérin ?

— Ah, non, ...

— ....

3. — Fabien Lebas ?

— .... ?

— Vous êtes Fabien Lebas ?

— Euh, non, non.

— Oh, ...

→ Livre, page 17

Intonation

Exercice 22 → Cochez ☒ la phrase que vous entendez.

1. ☐ Ça va ?
   ☒ Ça va.
2. ☐ Oui ?
   ☐ Oui.
3. ☐ Madame Fradin ?
   ☐ Madame Fradin.
4. ☐ Deux euros ?
   ☐ Deux euros.
5. ☐ Une baguette ?
   ☐ Une baguette.
6. ☐ Mercredi ?
   ☐ Mercredi.
7. ☐ Pardon ?
   ☐ Pardon.
8. ☐ Fabio ?
   ☐ Fabio.

Ça s'écrit comment ?

Exercice 23 → Écoutez et répétez.

a : ça – madame – quatre – message – café – mardi
oi : trois – danois – voisin
ou : vous – écoutez – groupe

Exercice 24 → Écoutez et cochez ☒ le mot que vous entendez.

1. ☐ ma ☐ moi ☐ mou
2. ☐ sa ☐ soi ☐ sous
3. ☐ par ☐ poire ☐ pour
4. ☐ chat ☐ choix ☐ chou
5. ☐ far ☐ foire ☐ four

Exercice 25 → Écoutez et cochez ☒ le son que vous entendez : « a », « oi » ou « ou ».

	1	2	3	4	5	6	7	8	9
a	×								
oi									
ou									

EN FRANCE ET AILLEURS

→ *Livre, pages 18 et 19*

Exercice **26** → **Placez le nom de chaque ville sur les cartes.**

Ajaccio, Bordeaux, Cayenne, Fort-de-France, Lille, Marseille, Orléans, Paris, Pointe-à-Pitre, Rennes, Saint-Denis, Strasbourg

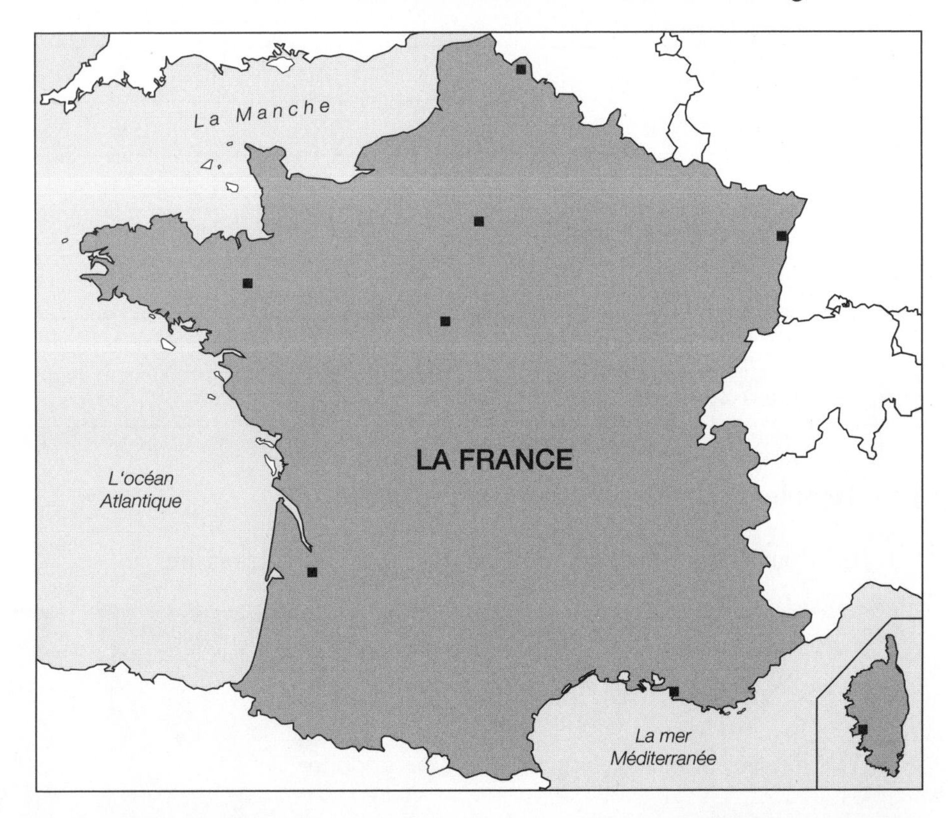

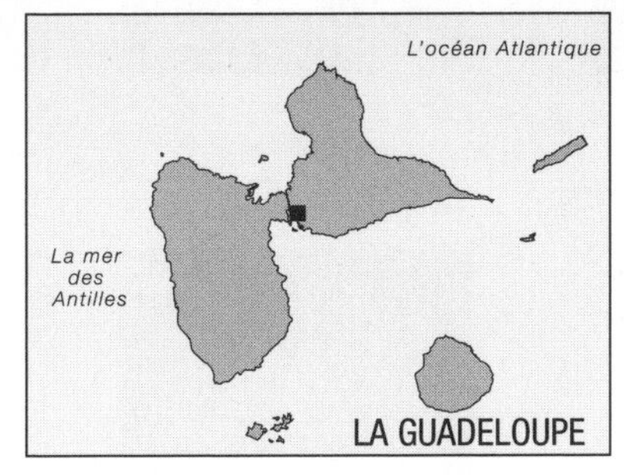

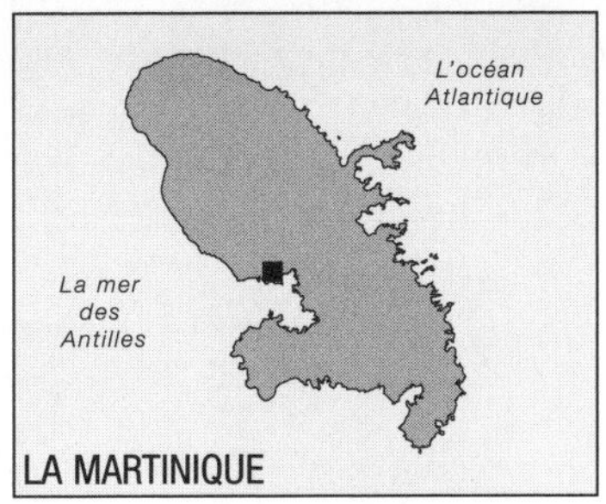

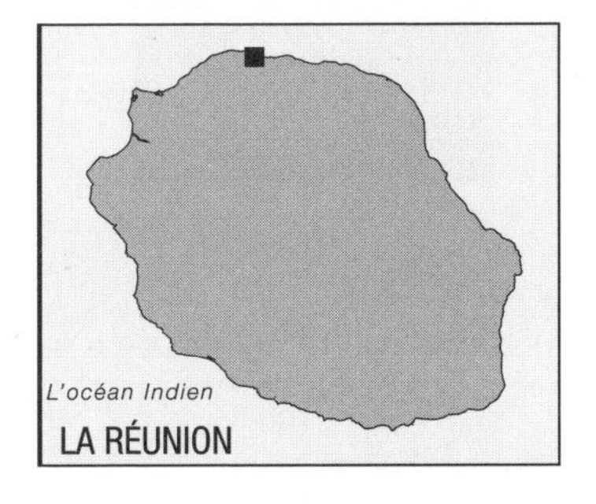

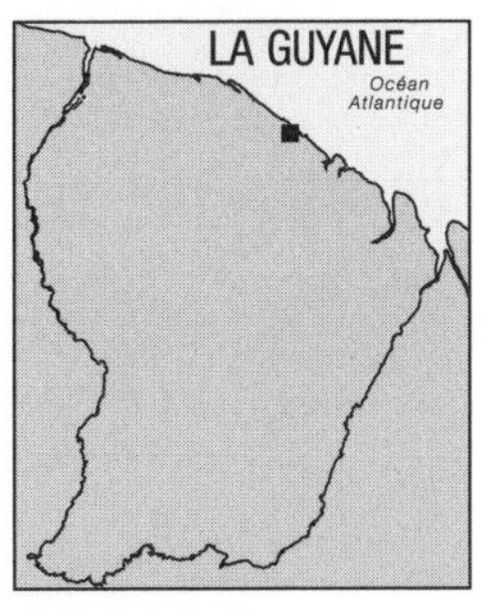

→ *Livre, pages 20 et 21*

14 Exercice **1** → **Écoutez le dialogue et complétez la grille.**

	vrai (*oui*)	faux (*non*)
1. Komala vient d'Inde.	X	
2. Qing est une femme.		
3. Qing est indien.		
4. Qing est informaticien.		
5. Komala travaille chez Thomson.		
6. Komala habite à Gentilly.		
7. Komala a 28 ans.		

Exercice **2** → **Regardez et choisissez l'image qui convient.**

1. Mon pays ? La France !

a

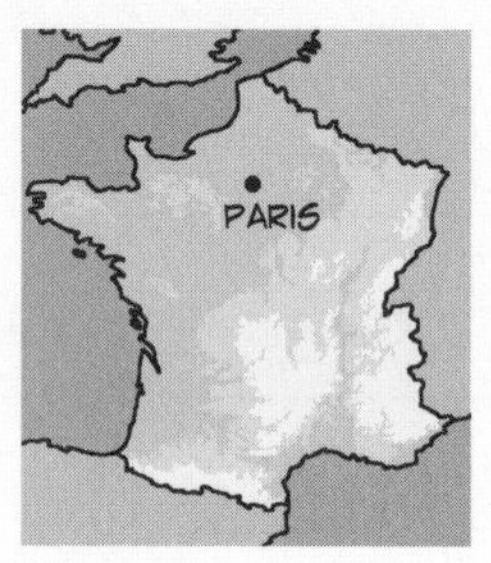

b

2. Christian présente les nouveaux livres.

c

d

3. Il travaille.

e

f

4. Elle est jeune.

g

h

1	2	3	4
b			

Exercice 3 → **Regardez le document et cochez la case qui convient.**

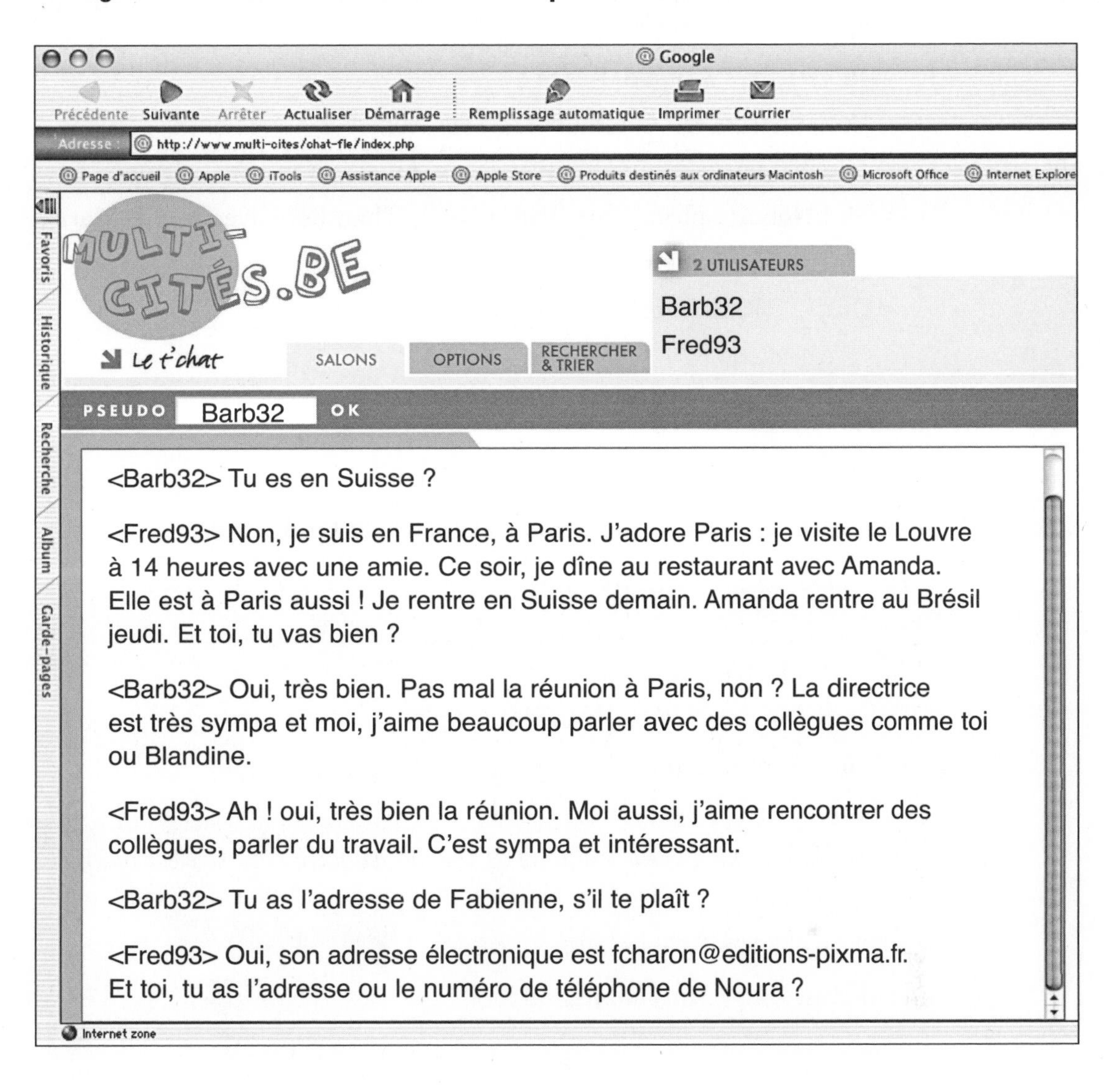

	vrai	faux	?
1. Frédéric « parle » avec Barbara.	☐	☐	☐
2. Frédéric est en Suisse.	☐	☐	☐
3. Barbara adore Paris.	☐	☐	☐
4. Barbara est au Brésil.	☐	☐	☐
5. Amanda est à Paris.	☐	☐	☐
6. Barbara n'a pas l'adresse de Fabienne.	☐	☐	☐
7. Frédéric a les adresses de Fabienne et de Noura.	☐	☐	☐

Exercice **4 → Complétez avec *à* ou *de*.**

1. — Tu viens .... Mexico, Pilar ?

— Non, j'habite .... Cuernavaca, je ne viens pas .... Mexico.

2. — Allo, Fabienne ? Tu viens avec nous samedi ? On va .... Lyon.

— Ah ! Non, désolée. Samedi, je suis .... Chambéry avec Luc et Marie.

3. — Ah ! Ton père travaille .... Paris ?

— Oui, ... Paris. Il est éditeur.

Demander de se présenter

→ *Livre, pages 22 et 23*

Exercice **5 → Choisissez la question qui convient et complétez les dialogues.**

1. *Tu as quel âge ? / Vous avez quel âge ?*

— .... ?

— 27 ans. Et vous ?

2. *Quel est ton nom ? / Quel est votre nom ?*

— Bonjour monsieur. .... ?

— Barbier. Je suis Jean-Marc Barbier.

3. *Quelle est ton adresse électronique ? / Quelle est votre adresse électronique ?*

— S'il te plaît, ... ?

— C'est radebitus@hotmail.fr.

4. *Tu habites où ? / Vous habitez où ?*

— .... ?

— Moi ? À Nantes. Et toi ?

5. *Quelle est ta nationalité ? / Quelle est votre nationalité ?*

— ...., s'il vous plaît ?

— Je suis belge.

Exercice **6 → Complétez le dialogue avec les questions proposées.**

1. Quelle est votre nationalité ?

2. Vous avez quel âge ?

3. Vous vous appelez comment ?

4. Vous habitez où ?

5. Quelle est votre adresse électronique ?

6. Quel est votre numéro de téléphone ?

— .... ?

— Romain. Et vous ?

— Moi, c'est Li-Phang.

— .... ?

— Je suis chinoise. Et vous ? Français ?

— Oui, je suis français. J'habite à Nice.

— .... ?

— C'est le 04 68 39 12 25. J'ai aussi une adresse électronique : li2@gmail.com.

— Et vous, ... ?

— Moi, c'est romasson@aliceadsl.fr.

— Merci. À bientôt !

Exercice **7** → **Associez chaque réponse à une question.**

1. — Vous vous appelez comment ?
2. — Quel est ton numéro de téléphone ?
3. — Tu habites où ?
4. — Quel est ton nom ?
5. — Vous venez de Rio de Janeiro ?
6. — Vous habitez où ?
7. — Quelle est votre adresse électronique ?

a. — À Rennes, en Bretagne.
b. — Non. De Sao Paulo.
c. — Miguel. Et toi ?
d. — babo25@yahoo.fr.
e. — Barbara. Oui, Barbara Henry.
f. — 04 05 29 45 36.
g. — À Sao Paulo. Et toi ?

1	2	3	4	5	6	7

Mon, ta, ses…

Exercice **8** → **Soulignez le mot qui convient.**

1. C'est (ton / ta) ami Philippe ?
2. Je n'ai pas (ton / ta) adresse.
3. Comment s'appelle (mon / votre) mère ?
4. Voici (mes / ma) enfants : Ana et Franck.
5. Euh… (Mon / Ta) âge ? J'ai 26 ans.
6. (Mes / Mon) rendez-vous est à 8 heures.
7. (Sa / Ses) euros sont là, sur la table !
8. Il est bon, (ta / votre) café !

Exercice 9 → **Écrivez les phrases avec l'élément qui convient.**

1. Quel est (ton / ta / mes) nom, s'il te plaît ? ....
2. C'est (ma / mon / ses) livre ! ....
3. (Votre / Mes / Vos) amis habitent où ? ....
4. Je n'ai pas (ta / sa / ton) adresse. ....
5. Et quelle est (ta / votre / vos) nationalité, s'il vous plaît ? ....

   ....
6. Linda est (son / sa / ses) amie américaine. ....
7. Christian ? Oui, c'est (mon / ma / ton) directeur. ....
8. (Mon / Son / Ton) pays ? Le Brésil. Oui, elle est brésilienne. ....

   ....

Être, avoir, verbes en –er

Exercice 10 → **Classez les éléments dans le tableau.**

suis – habites – présente – t'appelles – a – allez – es – travaillez – commences – êtes

je	tu	vous	il, elle
....	....	....	....
....	....	....	....

Exercice 11 → **Rayez (~~Rayez~~) l'élément qui ne convient pas.**

1. J'(ai / es) 27 ans. Et toi ?
2. Vous (avez / êtes) français ou suisse ?
3. Tu (habites / travaille) à Madrid ?
4. Elle (es / est) directrice des éditions Pixma.
5. Tu (es / est) éditeur ?
6. Amanda (habite / es) à Sao Paulo.

Exercice 12 → **Associez un élément de chaque colonne pour construire des phrases.**

1. C'
2. Il
3. Tu
4. Elle
5. Vous
6. Tu

a. est italien, ton ami Paolo ?
b. est ton amie de Mexico ?
c. travaillez où, Philippe ?
d. travailles à Tours ?
e. es mon amie.
f. habite à Paris, à Saint-Germain-des-Prés.

1	2	3	4	5	6

Présenter quelqu'un

→ *Livre, pages 24, 25 et 26*

Exercice **13** → **Lisez la lettre de Fabio et répondez aux questions.**

Chère Aiko,

Merci pour tes photos. Voilà des photos de ma famille.
Mon père s'appelle Inácio. Il a 47 ans et il est brésilien.
Avec mon père, ma mère, Marie. Elle est jeune, elle a
38 ans. Elle est française et elle est professeur de
français à Brasilia.
Ma petite soeur s'appelle Marianna ; elle est très drôle.
Ma grande soeur, c'est Carla ; elle a 19 ans et elle
est à l'université en France, à Bordeaux.
Mon père est informaticien. Mes soeurs sont jolies, hein ?

Grosses bises

Fabio

1. Le père de Fabio s'appelle comment ?

....

2. Il est français ?

....

3. Il fait quoi ?

....

4. La mère de Fabio est médecin ?

....

5. Elle a quel âge ?

....

6. Quelle est sa nationalité ?

....

7. La petite sœur de Fabio s'appelle Carla ?

....

8. La grande sœur de Fabio habite au Brésil ?

....

Exercice **14** → **Écoutez et complétez.**

.... Lauro. .... espagnol. .... mon ami. .... 26 ans et .... étudiant. Il habite .... Paris mais il vient .... Madrid.

Exercice **15** → **Présentez une personne de votre famille.**

....

....

....

....

C'est qui ?

Exercice **16** → **Rayez le (les) mot(s) qui ne convient (conviennent) pas.**

1. (Voici / Elle est / C'est) mon amie Patricia.
2. (Il / Elle / C') est directrice.
3. (Il a / Il est / C'est) 23 ans.
4. (Il / C' / Elle) est jolie, Aiko !
5. (Il est / Elle est / C'est) le directeur.
6. (Il / Elle / C'est) a 20 ans.

Exercice **17** → **Complétez avec *c'est, il est* ou *elle est*.**

1. .... mon frère. .... journaliste à *Ouest France*.
2. .... éditrice, Fabienne. .... jeune et jolie.
3. Sur la photo, ... le père de Fabio. .... informaticien.
4. .... professeur de français. .... française et .... la mère de Fabio.

Il fait quoi ?

Exercice **18** → **Écrivez la profession qui correspond à chaque photo.**

un coiffeur – un éditeur – un musicien – un pilote – un boulanger

a .... **b** .... **c** .... **d** ....

Il a quel âge ?

16 Exercice **19** → **Écoutez et complétez les numéros de téléphone.**

a. 06 .... 14 38

b. 58 01

c. 01 31 .... 47 ....

16 Exercice **20** → **Écoutez de nouveau puis répétez les dialogues deux par deux.**

a. — Quel est ton numéro de téléphone mobile ?
— C'est le 06 67 14 58 38.

b. — Tu as le numéro de Maud ?
— Euh… oui, attends. Maud : 03 58 23 65 01.

c. — Je n'ai pas votre numéro de téléphone au bureau…
— Ah ? C'est le 01 31 68 47 32.

Exercice **21** → **a) Écrivez le résultat en chiffres.**

a. 12 + 58 = ...
b. 22 + 38 = ...
c. 59 + 8 = ...
d. 22 + 41 = ...
e. 41 + 18 = ...
f. 25 + 25 = ...

→ **b) Écrivez le résultat en lettres.**

a. 17 + 17 = ...
b. 28 + 33 = ...
c. 19 + 22 = ...
d. 29 + 32 = ...
e. 26 + 27 = ...
f. 11 + 10 = ...

Exercice **22** → **Travail par paires.**

A **Posez des questions à votre voisin pour compléter la fiche.**

Lina, 19 ans	....	Luis Paolo, 31 ans	....
française	....	portugais	....
linadore@wanadoo.fr	....	lpcosta@gmail.com	....
01 44 41 25 89	....	226 701 832	....

B **Posez des questions à votre voisin pour compléter la fiche.**

....	Ahmed, 38 ans	....	Makiko, 26 ans
....	marocain	....	japonaise
....	abenbah@iam.net.ma	....	makasai@nifty.ne.jp
....	048 84 25 03	....	03 5231 2112

Oui, non, si

17 Exercice **23** → **Écoutez et cochez *oui*, si la réponse est positive, ou *non*, si la réponse est négative.**

	1	2	3	4	5	6
oui						
non						

Exercice **24** → **Complétez avec *oui*, *non* ou *si*.**

1. — Tu t'appelles Bertelle ?
— ...., Alex Bertelle.

2. — Tu n'habites pas au Mexique ?
— Ah ! ...., j'habite au Guatemala !

3. — Ton frère s'appelle Fernando ?
— ...., Fernando.

4. — Vous n'avez pas 30 ans ?
— ...., j'ai 30 ans. Et vous, vous avez quel âge ?

5. — Tu ne parles pas français ?
— ...., je parle anglais et français.

→ *Livre, page 27*

[i] *ou* [y] ?

(18) Exercice **25 → Écoutez et dites si vous entendez le son [y] (*salut*) dans la phrase *a* ou dans la phrase *b*. Complétez la grille.**

	1	2	3	4	5	6	7
phrase a							
phrase b	X						

L'EUROPE

→ *Livre, pages 28 et 29*

Exercice **26 → Qui écrit ? Cochez la case qui convient.**

	un homme	une femme	?
1. Je suis anglais.			
2. Je suis suisse.			
3. Je suis polonaise.			
4. Je suis danoise.			
5. Je suis belge.			
6. Je suis espagnole.			
7. Je suis norvégienne.			
8 Je suis française.			

Exercice **27 → a) Lisez chaque proposition et soulignez le nom du pays en français.**

1. Angleterre – Ingiltere – England – Inghilterra
2. Francia – France – Fransa – Frankreich
3. Türkiye – Turquie – Turchia – Turquía
4. Hungary – Ungheria – Hongrie – Macaristan
5. İspanya – Espagne – Spain – Spagna

→ b) Lisez chaque proposition et soulignez le nom de la ville en français.

1. Atene – Athen – Athènes – Atenas
2. Wien – Vienna – Viyana – Vienne
3. Varsovia – Varsavia – Varsovie – Warschau
4. Brussels – Bruxelles – Brüssel – Bruselas
5. Lisbonne – Lisbona – Lisboa – Lisbon

→ *Livre, pages 30 et 31*

Exercice 1 → **Lisez le texte et associez les éléments pour construire toutes les phrases possibles.**

— Bonjour. Moi c'est Jean-Marc. Et toi ?
— Je m'appelle Léa. Euh… j'ai 22 ans et j'habite à Lyon. Toi aussi, tu habites à Lyon ?
— Oui, oui. J'ai 25 ans, j'aime le cinéma, la cuisine française et…
— Le sport ! Tu aimes le sport, Jean-Marc, non ?
— Pas beaucoup… J'aime bien la télévision… toi aussi ?
— J'aime écouter de la musique ou faire du sport, mais la télévision… non, je n'aime pas ! Et tu travailles ?
— Oui, je suis professeur.
— Oh ! C'est drôle, moi aussi !

Léa •
Jean-Marc •

• a 22 ans.
• habite à Lyon.
• a 25 ans.
• aime le cinéma.
• aime faire du sport.
• n'aime pas la télévision.
• est professeur.

Exercice 2 → **Complétez avec *moi*, *toi* ou *vous*.**

1. — Vous aimez le sport ?
— Oui, beaucoup. Je fais de la natation et du ski.
— Et toi ?
— Ah ! oui, ... aussi, j'aime le sport ! Je fais du basket-ball.

2. — .... aussi, vous habitez à Toulouse ?
— Oui, j'habite 8, avenue Flammarion à Toulouse.

3. — Ah oui, j'aime beaucoup danser ! .... aussi, tu aimes danser ?
— Non, j'aime chanter mais je n'aime pas danser.

Exercice 3 → **Complétez avec *aller* à la forme qui convient.**

1. — Tu .... à Paris lundi ?
— Mais non, je ne .... pas à Paris. Avec ma sœur, nous .... à Toulouse !

— Vous .... à Toulouse ?

— Et oui, je .... voir Christophe et ma sœur va voir son amie Laure.

2. — Christophe et ses amis .... faire du ski samedi. Ils ....
dans les Pyrénées.

— Et toi, tu ne .... pas au ski ?

— Ah ! non, je déteste le ski ! Moi, je .... au cinéma avec Julie à 17 h 30.

19 Exercice **4** → **Écoutez les dialogues et associez.**

Ils •	• Aline et Isabelle
Elles •	• Marine et Paul
Nous •	• les livres

Exercice **5** → **Complétez les phrases avec *je, tu, il, elle, nous, vous, ils* ou *elles*.**

1. Ce soir, ... vais faire de l'escalade avec mon ami Philippe.
2. Ma sœur Anne a 22 ans et Lili a 17 ans. .... sont adorables.
3. .... aussi, vous avez des amis à Paris ?
4. C'est Alice et Christophe. .... habitent à Toulouse.
5. .... pouvez répéter, s'il vous plaît ?
6. Fabio n'est pas mexicain. .... est brésilien !
7. C'est Fabienne. .... est éditrice aux éditions Pixma.
8. .... es français ou espagnol ?

Exercice **6** → 20 **a) Écoutez et associez chaque photo à une phrase.**

a

b

c

d

e

photos	a	b	c	d	e
phrases	6				

→ **b) Lisez et associez chaque phrase à une photo.**

1. Il fait du squash le dimanche matin.

2. Elle fait de la course à pied et elle écoute de la musique.

3. Je fais de l'escalade en montagne.

4. Il fait du vélo avec son chien.

5. Claudia fait de la gymnastique.

phrases	1	2	3	4	5
photos	*c*				

Exercice **7** → **Complétez avec *du, de la* ou *de l'*.**

1. Du sport ? Oui, je fais .... escalade avec deux amis.

2. Christophe fait .... ski dans les Pyrénées.

3. Ah ! non, ma sœur fait .... natation. Elle n'aime pas le tennis.

4. C'est vrai ? Tu fais .... judo ?

5. La petite Lila a 5 ans. Elle fait .... gymnastique.

6. Je fais .... course à pied le samedi. J'adore la course à pied !

Exprimer ses goûts

→ *Livre, pages 32 et 33*

Exercice **8** → **Lisez les phrases puis cochez la case qui convient.**

	déteste	**aime bien**	**adore**
1. Le ski ? Ah ! oui, c'est génial !			
2. Beurk ! C'est pas bon !			
3. Le cinéma américain ? Oui, c'est pas mal.			
4. C'est nul, cette musique !			
5. Mais si, j'aime le vin blanc, pas de problème !			
6. Ce film, il est extraordinaire !			

Exercice **9** → **Exprimez vos goûts ! Répondez personnellement à ces questions.**

1. Vous aimez le cinéma ?

2. Et le sport, vous aimez bien ?

3. Vous n'aimez pas le cinéma ?

4. Et les voyages, vous aimez les voyages ?

5. C'est vrai ? Vous détestez la musique ?

6. Vous aimez beaucoup le français ?

21 Exercice **10** → **Écoutez et associez chaque phrase *a* à *d* que vous entendez à un dessin. Ensuite, complétez les phrases 1 à 4 qui correspondent aux dessins.**

1

2

3

4

dessins	1	2	3	4
phrases				

1. Il s'appelle .... Il aime beaucoup ....
et .... Il a ....

2. C'est .... Il habite .... Il déteste
.... mais il .... danser avec ses amis.

3. C'est .... Elle .... les voitures. Elle a
.... Elle aime bien .... et ....

4. Elle s'appelle .... Elle adore .... Elle n'aime
pas .... et elle déteste .... Elle fait ....
....

Les nombres après 69

Exercice **11** → **Complétez la grille avec les nombres proposés.**

5 – 6 – 10 – 22 – 30 – 50 – 60 – 107 – 11 000 – 15 000

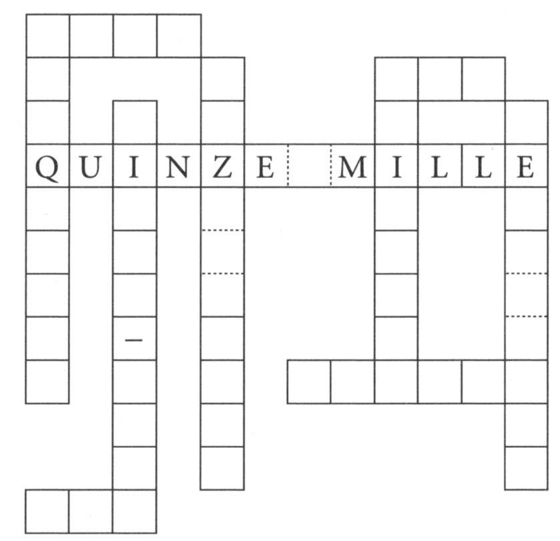

Exercice **12** → **a) Écrivez les dates en chiffres.**

Mille neuf cent soixante-treize : ....
Deux mille huit : ....
Mille cinq cent quinze : ....
Mille sept cent quatre-vingt-neuf : ....
Deux mille deux cent vingt-deux : ....

→ **b) Écrivez les dates en lettres.**

1961 : ....
2012 : ....
1873 : ....
1402 : ....
1991 : ....

22 Exercice **13** → **Écoutez puis écrivez les heures que vous entendez.**

a. .... h ....
b. .... h ....
c. .... h ....
d. .... h ....
e. .... h ....

Parler de ses projets

→ *Livre, pages 34, 35 et 36*

Exercice **14** → **Complétez la grille avec les formes qui conviennent.**

	je, j'	tu	il, elle	nous	vous	ils, elles
aimer	aime	....	....	aimons	....	....
être	....	es	....	....	....	sont
détester	....	....	déteste	....	détestez	....

Exercice **15** → **Rayez les éléments qui ne conviennent pas.**

1. (Tu / Il / Vous) mange avec Bernard, ce soir ?
2. (Je / Elle / Pierre) suis suisse, j'habite à Lausanne.
3. (Alice / Nous / Vous) va skier dans les Pyrénées le week-end prochain.
4. (Les filles / Il / Nous) sommes professeurs de français.
5. (Tu / Elle / Mes amis) vas à Nice le mois prochain ?
6. (Elle / Nous / Elles) n'habitent pas en France mais en Belgique.
7. (Je / Tu / Ils) n'aimes pas le sport à la télévision ?
8. (Tu / Vous / Elles) avez quel âge ?

Le pronom on

Exercice **16 → Complétez les phrases avec *il, elle* ou *on*.**

1. On adore le professeur de français. .... est drôle !

2. Samedi, je vais à Paris avec Marc et Marie. .... adore Paris !

3. .... a quel âge, ta sœur ?

4. On est français mais .... travaille en Suisse.

5. .... mange ensemble ce soir ?

Exercice **17 → Associez un élément de chaque colonne pour faire des phrases.**

1. J'

2. Tu

3. Il

4. Isabelle

5. On

6. Je

a. est adorable, le bébé de Juliette !

b. t'appelles Amanda ?

c. habite à Pau, c'est dans les Pyrénées.

d. n'aime pas la télévision mais on adore le cinéma.

e. est française, de Marseille.

f. suis informaticienne, et toi ?

1	2	3	4	5	6

Exercice **18 → Remplacez les mots soulignés par *il, elle, on, vous, ils* ou *elles* et mettez le verbe à la forme qui convient.**

1. Ta sœur et toi – aller – voir Marie – la semaine prochaine ?

....

2. Les filles et moi – adorer – la cuisine japonaise.

....

3. Maria et elle – être – mexicaines.

....

4. Monsieur Paulin et vous – travailler – à Boulogne ?

....

5. Christophe et son frère – habiter – dans une petite maison.

....

6. Isabelle – avoir – 40 ans – en mars.

....

7. Madame Durant et ses enfants – ne pas aimer – faire du sport.

....

8. Béatrice et Christian – aimer beaucoup – travailler ensemble.

....

Le futur proche

Exercice **19** → **Cochez la réponse qui convient.**

1. Tu vas faire de l'escalade l'année prochaine ?

☐ Oui, je déteste l'escalade.

☐ Ah ! non, je vais faire de la course à pied.

☐ Oui, je fais de l'escalade dimanche.

2. On va voir *Actrices* au cinéma, ce soir ?

☐ Ce soir, moi je vais aller au restaurant avec Patrice.

☐ J'aime bien ce film, et toi ?

☐ Allez au cinéma ce soir !

3. Vous allez visiter Paris en juin ?

☐ Oui, on aime beaucoup Paris. On va aller à la Cité des sciences.

☐ Paris ? Oui, j'aime bien.

☐ Ah ! Tu vas aller à Paris ! C'est bien !

Exercice **20** → **a) Mettez les éléments dans le bon ordre pour reconstituer des phrases correctes.**

1. éditions / vas / travailler / tu / pour / Pixma / les / ?

....

2. pas / on / aller / prochain / ne / à / Nice / va / samedi /.

....

3. avec /elle / sa / aller / à / *L'Entrepotes* / vendredi / va / sœur /.

....

4. je / ce / vais / Nicolas / téléphoner / soir / à /.

....

→ **b) Avec les éléments donnés, construisez des phrases au futur proche.**

Exemple : *Je – ne pas aller – à Lyon avec Christine.*
→ *Je ne vais pas aller à Lyon avec Christine.*

1. Alice et Christophe – manger ensemble – dans un restaurant chinois.

....

2. Vous – adorer – mon gâteau au chocolat !

....

3. On – ne pas aller – au Japon l'année prochaine.

....

4. Ils – habiter – à New York en 2009.

....

Exercice **21** → **Lisez la lettre et cochez la réponse qui convient.**

La Plagne, le 25 février

Chère Alice,

Je suis en vacances dans les Alpes toute la semaine. Aujourd'hui, je skie et demain je vais visiter l'aiguille du Midi. La semaine prochaine, je ne vais pas rester à La Plagne, je vais aller à Nice pour le festival de jazz.
Je vais visiter la ville, aller sur la plage et je vais peut-être rencontrer des musiciens célèbres !
Je t'appelle lundi, bonne semaine.

Christophe

	vrai	faux	?
1. Christophe va faire du ski à La Plagne la semaine prochaine.	☐	☐	☐
2. Aujourd'hui, il visite l'aiguille du Midi.	☐	☐	☐
3. Le festival de jazz de Nice est très célèbre.	☐	☐	☐
4. Christophe a rendez-vous avec des musiciens célèbres.	☐	☐	☐
5. Christophe va rentrer dimanche soir.	☐	☐	☐

Notre, votre, leur

Exercice **22** → **Choisissez l'élément entre parenthèses qui convient et récrivez les phrases.**

1. Quelle est ta (nom / nationalité) ? .... ?

2. J'aime beaucoup sa (ami / sœur), pas toi ? .... ?

3. Où sont ses (photo / livres) ? .... ?

4. Nos (copain / amis) arrivent lundi. ....

5. Leur (bébé / filles) s'appelle Julie. ....

6. Je n'ai pas votre (adresse / noms). ....

Exercice **23** → **Complétez avec *mon, ma, tes, ses, leur, leurs,* etc.**

1. .... nationalité, s'il vous plaît, monsieur ?
2. J'ai un frère et une sœur : .... frère s'appelle Jean-François et .... sœur Sylvie.
3. S'il te plaît, quelle est .... adresse électronique ?
4. Je vais téléphoner à Fabio, j'ai .... numéro.
5. Mon père et .... mère habitent à Brest. .... maison est petite mais très jolie.
6. Il est jeune, ton père, non ? Quel est .... âge ?

Exercice **24** → **Présentez-vous sur votre blogue. Parlez de vos goûts et de vos projets pour le week-end prochain.**

http://monskyblog.com

Apple (10) Amazon France eBay France Yahoo! Informations (52)

SKYBLOG

CREE TON SKYBLOG

Pseudo :

....

Description du Skyblog :

ma famille, mes amis, mes loisirs.

Date de création :

....

....
....
....
....
....
....
....
....
....

Exercice **25** → **a) Complétez avec *je (j'), tu, il* ou *vous*.**

1. .... a 30 ans ?
2. .... travailles avec Pierre ?
3. .... suis espagnole.
4. .... habitez où ?
5. .... est éditeur.

→ **b) Complétez avec *être, avoir, habiter, aimer* ou *s'appeler* à la forme qui convient.**

Il .... John et il est kényan. Il .... 27 ans et il .... la natation et le football. Il .... marié avec une Française. Ils .... à Nairobi, au Kenya.

Des sons et des lettres

→ *Livre, page 37*

Le ➡ l', me ➡ m'...

Exercice **26** → **Rayez l'élément qui ne convient pas.**

1. (Je / J') adore (le / l') art contemporain.
2. Marie (ne / n') aime pas du tout (le / l') sport.
3. Tu (te / t') appelles comment ?
4. Elle va aller à (la / l') université en septembre.
5. Ils (ne / n') ont pas (de / d') amis en France.
6. Vous avez (la / l') adresse de (la / l') sœur de Pierre ?
7. (Je / J') déteste (le / l') ski mais (je / j') aime beaucoup (la / l') escalade.
8. (Ce / C') est l'ami (de / d') Anne ?

[y] *ou* [u] ?

23 Exercice **27** → **Écoutez et cochez la case qui convient.**

	1	2	3	4	5	6
[y] (*salut*)						
[u] (*bonjour*)						

LA FAMILLE EN FRANCE

→ *Livre, pages 38 et 39*

Exercice **28** → **Complétez les phrases avec les mots de la liste.**

naissance – célibataire – monoparentale – enfants – se marier – mari

1. Samedi, mon frère va .... avec Karine ; ça va être une belle fête !
2. Regarde ! Anne a son bébé ! C'est le faire-part de ....
3. Ma sœur et son .... ont deux .... : un garçon et une fille.
4. Non, je ne suis pas marié, je suis ....
5. Il habite avec ses deux enfants ; c'est une famille ....

Exercice **29 → Lisez le faire-part de naissance et les trois cartes de félicitations. Cochez la carte qui correspond au faire-part.**

Laure, François
et sa grande sœur Pauline
sont très heureux de vous annoncer
la naissance de

Tom

le 25 avril 2008 à 6 h 10.

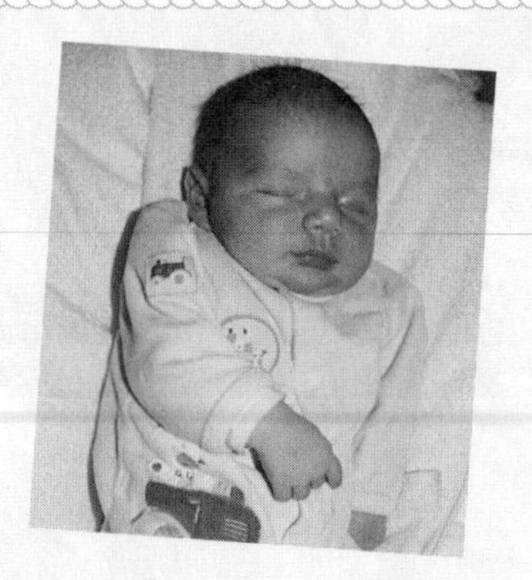

Laure et Francois Jacquot – 12, place de l'Europe – 59 000 Lille

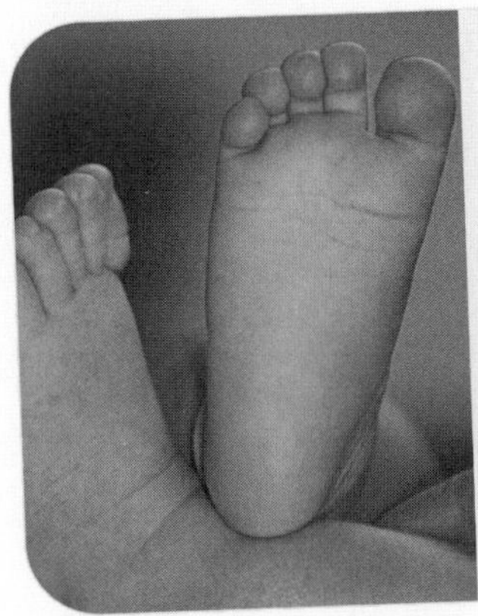

Sincères félicitations pour votre petit homme (petit Tom... ☺).
Pauline doit être très contente d'avoir un petit frère. Nous vous souhaitons de grands moments tous ensemble.
Grosses bises et à bientôt pour une petite fête!
Dominique et Christian

1 ☐

Chers amis,

Bravo pour cette bonne nouvelle et bienvenue au bébé.
C'est drôle, il est né le 27 février, comme moi!
Nous vous souhaitons beaucoup de bonheur et espérons vous voir bientôt.
Bises de Florence, Patrick et Héloïse

2 ☐

Chère Laure, cher François,

Félicitations pour ce petit Théo.
C'est une très belle nouvelle et nous imaginons votre bonheur. Nous allons venir voir le bébé la semaine prochaine.

Très grosses bises à vous quatre,

Catherine et Max

3 ☐

→ *Livre, pages 46 et 47*

Exercice 1 → **Associez les éléments pour former des phrases.**

Il y a une mouche •	• un vol à 9 heures.
Pour Milan, il y a •	• dans mon café !
Il n'y a pas •	• un métro ?
Et à Istanbul, il y a •	• un bon film espagnol.
Ce soir, à la télé, il y a •	• de problème.

Exercice 2 → **Rayez le verbe qui ne convient pas.**

Exemple : *Julien ne va pas (~~vouloir~~ / venir) demain, il est malade.*

1. Excusez-moi, je (veux / peux) poser une question ?
2. Mais, euh, Théo ne (peut / vient) pas aller à Lyon avec nous ?
3. Tu (veux / peux) un thé ou un café ?
4. Monsieur Yokohama (vient / veut) à Paris le 15 décembre.
5. Excusez-moi, je ne comprends pas. Vous (voulez / pouvez) écrire votre nom, s'il vous plaît ?
6. Oui, monsieur. Quel livre vous (voulez / pouvez) ?
7. Pardon, je (veux / peux) prendre une photo ?

Exercice 3 → **Écrivez le verbe entre parenthèses à la forme qui convient.**

1. Vous (pouvoir) .... venir lundi, à 8 heures ?
2. Julie (venir) .... au théâtre avec nous.
3. Ils (vouloir) .... entrer ?
4. S'il vous plaît, nous (vouloir) .... parler au directeur.
5. Vous (venir) .... de Belgique ?
6. On (pouvoir) .... payer avec une carte ?
7. Il (vouloir) .... ton passeport et ta carte d'embarquement.
8. Je (pouvoir) .... téléphoner à Thomas.
9. Elles (venir) .... au mois de septembre.
10. Tu (pouvoir) .... écrire ton adresse électronique ?

Demander de faire quelque chose

→ *Livre, pages 48 et 49*

Exercice **4** → **Écrivez les phrases dans une forme plus polie.**

Exemple : *Tu peux garder mon chat ?* → *Tu pourrais garder mon chat ?*

1. Vous pouvez venir lundi ?

....

2. Je veux parler au directeur.

....

3. Tu peux téléphoner à Sylvaine ?

....

4. Je veux une réponse demain.

....

5. Vous pouvez aller à Lausanne ?

....

6. Je peux entrer, deux minutes ?

....

7. Tu peux arroser mes plantes ?

....

8. Je veux aller avec toi.

....

24 Exercice **5** → **Écoutez les dialogues et complétez la réponse que vous entendez.**

1. — Je donne mon nom ?
— Oui, ... ton nom, ici.

2. — Vous voulez me voir, monsieur Grandet ?
— Oui. .... dans mon bureau, s'il vous plaît ?

3. — Bonjour, Bernard Masson, de la société Libris.
— Ah, bonjour monsieur Masson, ..., je vous en prie.

4. — Ah, bon, tu vas à Cracovie ? C'est super.
— Oui, mais, euh, ... mon chien ?

5. — Quel problème ? Il n'y a pas de problème ?
— Ah, bon ? .... la photo, là.

6. — J'habite à Dvirkivshchyna.
— Euh, oui… .... , s'il vous plaît ?

(25) Exercice 6 → **Écoutez et choisissez *vrai*, *faux* ou *on ne sait pas*.**

	vrai	faux	?
1. Cédric travaille pour la société Luna.	☐	☐	☐
2. Cédric téléphone à l'hôtel de l'Europe.	☐	☐	☐
3. Cédric demande à Magali de téléphoner à l'hôtel de l'Europe.	☐	☐	☐
4. Magali connaît bien l'hôtel de l'Europe.	☐	☐	☐
5. Bénédicte est dans son bureau.	☐	☐	☐
6. Cédric voudrait demander à Bénédicte d'envoyer un fax à l'hôtel.	☐	☐	☐
7. Magali travaille pour la société Volubis.	☐	☐	☐

Exercice 7 → **Écrivez un message pour chaque situation. Qu'est-ce que vous demandez à chaque personne ?**

1. Vous ne pouvez pas aller au cours de français demain. Vous écrivez un message à un étudiant de votre classe.

2. Vous êtes malade, vous ne pouvez pas aller à votre travail. Vous écrivez un message à votre secrétaire.

3. Vous partez en voyage pour une semaine. Écrivez un message à votre ami(e) français(e).

Avec moi – chez toi

Exercice 8 → **Complétez les phrases avec *chez* ou *avec*.**

1. — Tu vas à Bruxelles avec Noémie ?
— Non, ... Maria.

2. — On mange au restaurant demain.
— Non, venez .... moi !

3. — Tu vas dans quel hôtel à Mexico ?
— Euh, bah, je ne vais pas à l'hôtel, je vais .... Vanesa.

4. — Xavier, c'est Caroline au téléphone. Tu veux aller au cinéma .... elle, ce soir ?
— Ce soir ? Pour voir quel film ?

5. — Tu n'as pas ton livre ?
— Non, il est .... moi.

6. — Elle habite dans un appartement à Londres ?
— Oh, non, elle reste deux mois seulement, elle a une chambre .... une famille.

Exercice **9** → **Rayez le mot qui ne convient pas.**

1. Vous choisissez : vous venez à notre bureau ou nous allons chez (toi / vous).
2. Émilie est malade, elle est chez (lui / elle).
3. Tu ne trouves pas tes clés ? Attends, je vais chercher avec (moi / toi).
4. Non, ne va pas à l'hôtel, viens chez (moi / eux) !
5. Je vais chez Thomas, on a un exercice de math, il veut travailler avec (moi / lui).
6. Mathieu, tu peux garder mon chat ? Il peut rester chez (toi / lui) une semaine ?
7. Écoutez, venez avec (moi / vous). Nous allons parler dans mon bureau.

Exercice **10** → **Remplacez les mots soulignés par *lui*, *elle*, *eux* ou *elles*.**

1. — Camille connaît bien monsieur Fouqueron.
   — Oui, très bien, elle travaille avec monsieur Fouqueron.

   ....

2. — Est-ce que tu vas voir tes amis Diane et Mehdi ?
   — Oui, on va chez Diane et Mehdi vendredi prochain.

   ....

3. — Non, je ne peux pas venir demain, je garde la fille de mes voisins.
   — Oh, bah, viens avec la fille de tes voisins.

   ....

4. — Madame Legendre a téléphoné. Elle cherche son chat.
   — Ah, bon, il n'est pas chez madame Legendre ?

   ....

5. — J'ai un problème avec deux étudiantes, Sarah Bettker et Nadia Manaquin.
   — Oui, je sais. Je vais parler avec Sarah Bettker et Nadia Manaquin demain.

   ....

6. — Monsieur Zemmouri veut aller à la gare mais il ne connaît pas la ville.
   — Pas de problème, je vais aller avec monsieur Zemmouri.

   ....

Exercice **11** → **Complétez les phrases avec le verbe *connaître* à la forme qui convient.**

1. Non, non, je ne .... pas Wafaa.
2. Oui, je suis d'accord, elles .... bien la région.
3. Cristina, vous .... monsieur Mignard ?
4. Je voudrais écrire à Ömür, tu .... son adresse électronique ?
5. Écoutez ! Nous .... le problème et nous allons trouver une solution.
6. Tu .... le livre de Muriel Barbery ?

Parler d'actions passées

→ *Livre, pages 50, 51 et 52*

Exercice **12 → Lisez le message et cochez la case qui convient.**

Supprimer Indésirable Répondre Rép. à tous Réexpédier Imprimer

De : Aiko Sarkissian <aiko.sarkissian@laposte.net>
Date : 3 janvier 2008
À : Fabio Araujo <fabio.araujo@alice.fr>
Objet : Un grand merci

Cher Fabio !

Je voudrais te remercier. Lylia m'a renvoyé un message. Elle a reçu le livre de Lima Barreto et elle est très heureuse. Merci pour le livre, tu es très gentil.
Tu as fait bon voyage ?
À plus.

Aiko

	vrai	faux	?
1. Aiko remercie Lylia.	☐	☐	☐
2. Fabio a envoyé un livre à Lylia.	☐	☐	☐
3. Lylia a envoyé un message à Fabio.	☐	☐	☐
4. Fabio va faire un voyage.	☐	☐	☐

Le passé composé (1)

Exercice **13 → Lisez les phrases et entourez la forme qui convient.**

1. Aiko a (écrit / écris / écrire) à Fabio.
2. Elle a (est / été / êtes) malade.
3. Tu as (ont / ai / eu) des problèmes ?
4. Je n'ai pas (compris / comprend / comprendre) la question.
5. On a (envoie / envoyé / envoyez) un message au directeur.
6. Elle a (vouloir / voudrais / voulu) prendre un taxi.
7. Nous avons (fais / fait / font) trois exercices.

Exercice **14 → Lisez les phrases et écrivez le verbe au passé composé.**

1. Vous (recevoir) .... ma lettre ?
2. Émilie n'est pas là, elle (avoir) .... un problème.
3. Nous (téléphoner) .... à Mathieu.

4. Tu (prendre) .... un café ce matin ?
5. On (demander) .... au directeur, il est d'accord.
6. Vous (faire) .... bon voyage ?
7. Elles (dormir) .... où, à Bruxelles ?
8. Tu (payer) .... avec ta carte ?

Exercice **15** → **Écrivez le verbe à la forme négative.**

Exemple : *Elle a trouvé le livre.* → *Elle n'a pas trouvé le livre.*

1. Vous avez compris ? → ....
2. Elle a téléphoné à Louise. → ....
3. Tu as bien dormi ? → ....
4. Fabien a voulu venir avec moi. → ....
....
5. J'ai pu faire l'exercice. → ....
6. Julie a été très sympa. → ....
7. Nous avons arrosé les plantes. → ....
8. Vous avez visité le musée de l'Ermitage ? → ....
....

Exercice **16** → **Écrivez une phrase avec chaque verbe, au passé composé.**

Exemple : *avoir : J'ai eu un problème.*

1. donner : ....
2. envoyer : ....
3. étudier : ....
4. garder : ....
5. arroser : ....
6. chercher : ....
7. acheter : ....
8. trouver : ....

26 Exercice **17** → **Écoutez et cochez la case qui convient.**

	1	2	3	4	5	6	7
verbe au présent							
verbe au passé composé							

Exercice **18** → **Travail par paires.**

A **Lylia a envoyé un message à Fabio. Qu'est-ce que Fabio a fait ? Regardez les images et expliquez à votre partenaire.**

Supprimer Indésirable Répondr

De : Lylia Courtel <lylia_
Date : 23 novembre 2007
À : Fabio Araujo <fabio.
Objet : livre de Lima Barr

Cher Fabio,

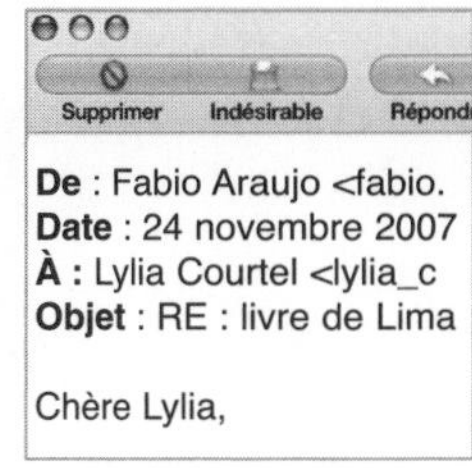
Supprimer Indésirable Répond

De : Fabio Araujo <fabio.
Date : 24 novembre 2007
À : Lylia Courtel <lylia_c
Objet : RE : livre de Lima

Chère Lylia,

B **Lylia a envoyé un message à Fabio. Qu'est-ce que Fabio a fait ? Regardez les images, écoutez votre partenaire et donnez un numéro (1 à 5) aux images.**

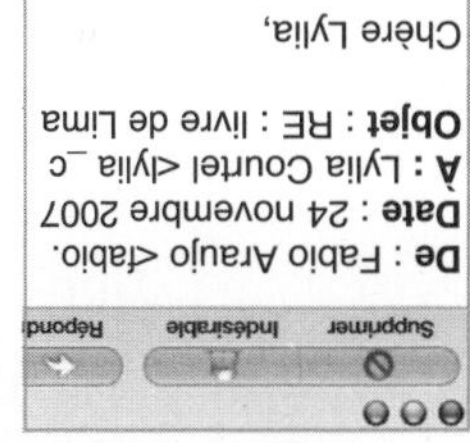
Supprimer Indésirable Répond

De : Fabio Araujo <fabio.
Date : 24 novembre 2007
À : Lylia Courtel <lylia_c
Objet : RE : livre de Lima

Chère Lylia,

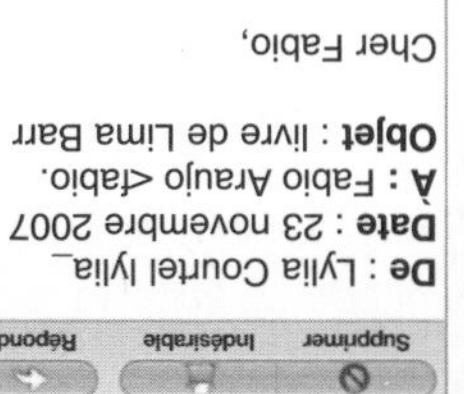
Supprimer Indésirable Répond

De : Lylia Courtel <lylia_
Date : 23 novembre 2007
À : Fabio Araujo <fabio.
Objet : livre de Lima Barr

Cher Fabio,

....

Exercice **19** → **Travail par paires.**

A **Louise raconte son voyage à Milan. Regardez les images, écoutez votre partenaire et donnez un numéro (1 à 5) aux images.**

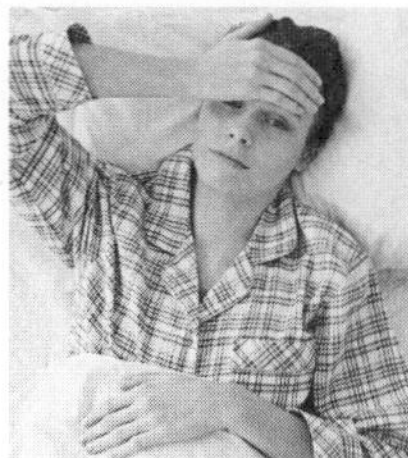

....

B **Louise raconte son voyage à Milan. Regardez les images et expliquez à votre partenaire.**

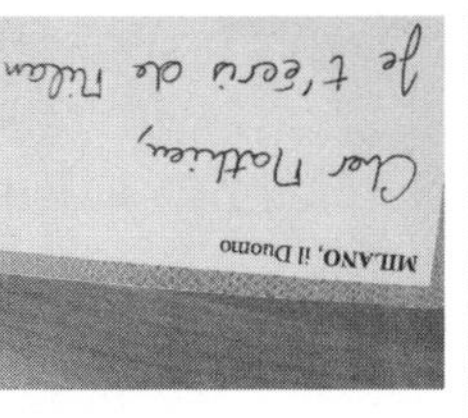

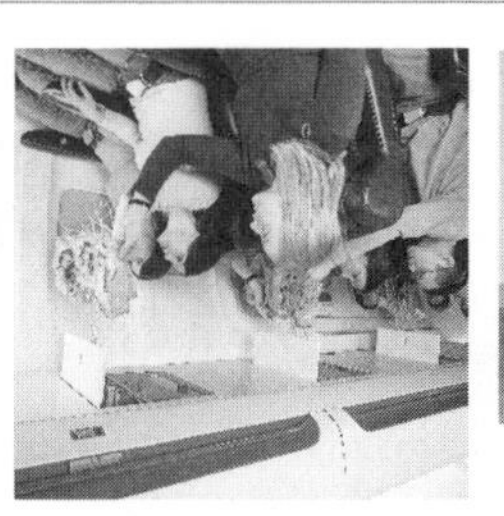

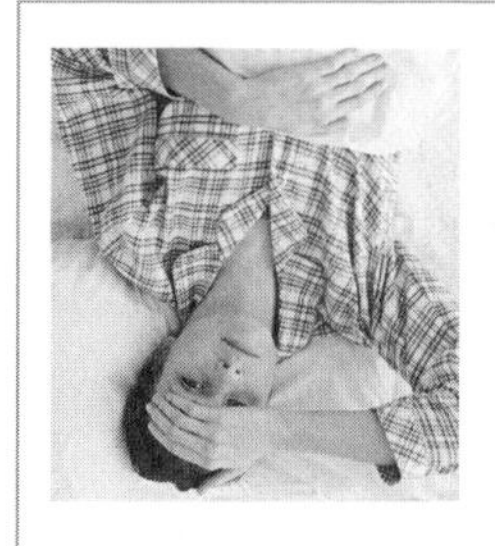

Le, la, les – un, une, des

(27) Exercice **20** → **Écoutez et cochez la case qui convient.**

	1	2	3	4	5	6	7	8
Vous entendez *le*, *la*, *l'* ou *les*								
Vous entendez *un*, *une* ou *des*								

Exercice **21** → **Complétez avec *le, la, l', les, un, une* ou *des*.**

1. Tu as .... adresse électronique de Lylia ?
2. Vous avez fait .... exercices n° 4 et 5 de .... page 47 ?
3. S'il vous plaît, il y a .... mouche dans mon café !
4. Anne-Sophie, il y a .... lettres pour moi ?
5. Vous habitez dans .... maison ou dans .... appartement ?
6. Excusez-moi. Bonjour. Vous avez .... livres en coréen ? Je cherche un livre d'Eun Hee-Kyung.
7. Quelle est .... réponse ? A ou B ?
8. Excusez-moi, je cherche .... livre pour apprendre l'arabe.
9. Demain, je vais chez .... amie italienne.
10. Tu connais .... restaurant *Favre d'Anne* ?

Des sons et des lettres

→ *Livre, page 53*

La liaison

(28) Exercice **22** → **Écoutez et marquez la liaison.**

Exemple : *Ils‿aiment le café.*

1. Les étudiants arrivent à sept heures.
2. Ils sont chez un ami.
3. C'est très important.
4. Ils ont ton adresse ?
5. Vous avez des amis espagnols ?
6. On a pris un café.

(29) Exercice **23** → **Lisez les phrases, marquez les liaisons puis contrôlez avec l'enregistrement.**

1. Vous avez des enfants ?
2. Ils habitent dans une maison ?
3. Louise a payé cent euros.
4. Elles aiment les exercices ?
5. Vous êtes japonais ?
6. On va chez eux dans une semaine.
7. Vous arrivez à vingt-deux heures ?

[s] *ou* [z] ?

(30) Exercice **24** → **Écoutez et cochez le mot que vous entendez.**

	1	2	3	4	5	6
[s] (*son*)	❑ douce	❑ tresse	❑ bus	❑ russe	❑ bis	❑ casse
[z] (*visite*)	❑ douze	❑ treize	❑ buse	❑ ruse	❑ bise	❑ case

(31) Exercice **25** → **Écoutez et cochez la case qui convient**

	1	2	3	4	5	6	7	8
[s] (*son*)								
[z] (*visite*)								

ANIMAUX & COMPAGNIE

→ *Livre, pages 54 et 55*

Exercice **26** → **Lisez le texte. Quelle est la nationalité des quatre chiens nés en 2008 ?**
Associez le nom à une nationalité.

	2008	2009	2010	2011
France	D	E	F	G
Belgique	H	I	J	K
Luxembourg	F	G	H	I
Canada	S	T	U	V

Fini	•	•	français
Huit	•	•	belge
Dimanche	•	•	luxembourgeois
Sympa	•	•	canadien

Exercice **27** → **Choisissez un pays et une année, puis trouvez des noms de chiens qui commencent par la lettre donnée dans le texte.**

....

....

→ Livre, pages 56 et 57

32 Exercice 1 → **Écoutez les messages et cochez la case qui convient.**

	anniversaire	exposition	concert	mariage	dîner	cinéma
1						
2						
3						
4						

Exercice 2 → **Observez le document et complétez la grille.**

Anna
Je t'invite à mon anniversaire
le 6 avril
de 14 heures à 19 heures
26, rue Marceau
Je compte sur toi !
Nabila
Merci de confirmer ta présence.
Tel : 04 23 65 98 20

Qui écrit ?	À qui ?	Pour quoi ?	Quand ?	Où ?	Téléphone
......	......	......	......	......	......
......	......	......	......	......	......

Exercice 3 → **Complétez la grille.**

	finir	choisir
je	......	choisis
tu	......	......
on	finit	......
nous	......	choisissons
vous	finissez	......
elles	......	......

Inviter et répondre à une invitation

→ *Livre, pages 58 et 59*

33 Exercice **4** → **a) Écoutez et dites dans quel dialogue vous entendez chaque phrase.**

	dialogue n°
Tu veux venir… ?	
Je vous propose…	
Ça te dirait de… ?	
Je t'invite…	

→ **b) Écoutez de nouveau les dialogues, complétez la grille puis entourez les expressions utilisées dans les dialogues. Ensuite, indiquez dans quel dialogue vous entendez chaque expression que vous avez entourée.**

	1	**2**	**3**	**4**
La personne accepte				
La personne refuse				

Exemple : C'est d'accord ! : *dialogue 2.*

Je n'ai pas envie. : ....

Ah ! non, ce n'est pas possible ! : ....

Non merci, ça ne me dit rien. : ....

Je ne suis pas libre. : ....

Avec plaisir ! : ....

Je ne peux pas. : ....

Exercice **5** → **Écrivez une proposition pour chaque réponse.**

1. — ....

— Ah oui, ça me dit bien, un petit restaurant chinois.

2. — ....

— Je vous remercie de votre invitation mais le 12 février, je ne suis pas libre.

3. — ....

— Au ciné ? Non, je ne veux pas sortir, je dois travailler.

4. — ....

— Demain, 18 heures, ça marche !

5. — ....

— Ah ! non, samedi, je travaille. Mais c'est possible vendredi soir.

Exercice **6** → **Lisez les propositions et répondez oralement.**

1. Je te propose une soirée ciné. Demain soir, ça va ?
2. Je voudrais vous inviter au restaurant samedi, c'est mon anniversaire.
3. Ça te dirait un dîner entre amis à la maison ?
4. Tu veux visiter le musée du Louvre avec moi samedi ?
5. Un petit verre de vin, ça vous dit ?

Exercice **7** → **Écrivez un message à un ami pour l'inviter à votre anniversaire.**

(34) Exercice **8** → **Écoutez et répondez.**

1. Qui appelle ? ....
2. La personne appelle qui ? ....
3. La personne propose quoi ? ....
4. Quand et à quelle heure ? ....
5. Que va faire Maria ? ....
6. Qui va apporter du vin rouge ? ....

Exercice **9** → **Remettez les phrases dans l'ordre pour reconstituer le message.**

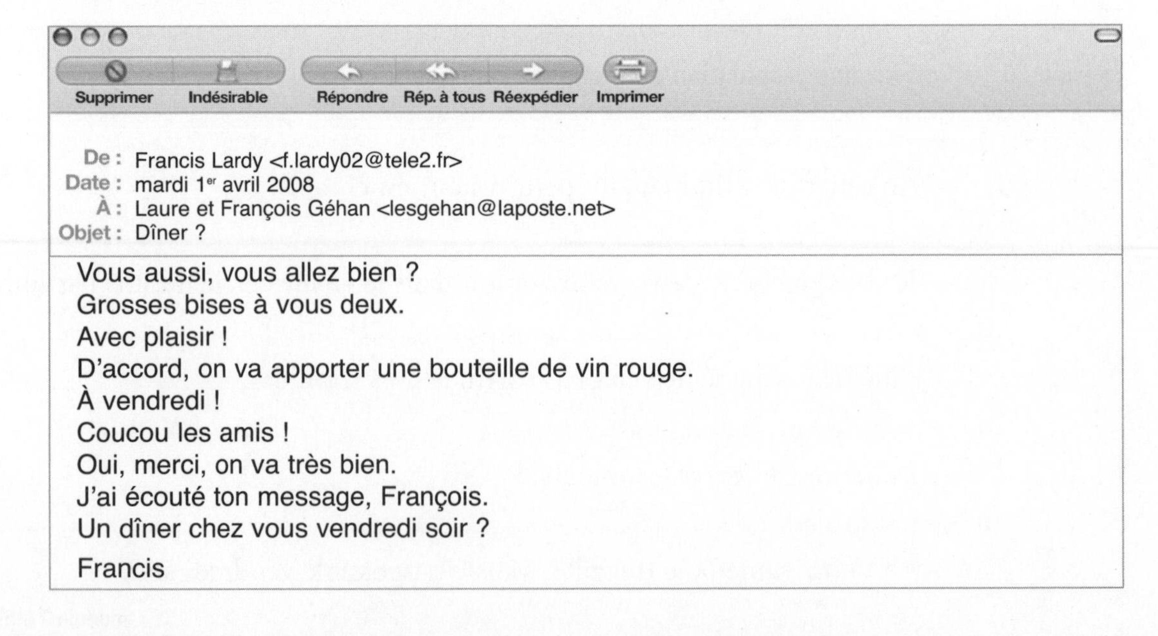

Supprimer Indésirable Répondre Rép. à tous Réexpédier Imprimer

De : Francis Lardy <f.lardy02@tele2.fr>
Date : mardi 1er avril 2008
À : Laure et François Géhan <lesgehan@laposte.net>
Objet : Dîner ?

Vous aussi, vous allez bien ?
Grosses bises à vous deux.
Avec plaisir !
D'accord, on va apporter une bouteille de vin rouge.
À vendredi !
Coucou les amis !
Oui, merci, on va très bien.
J'ai écouté ton message, François.
Un dîner chez vous vendredi soir ?

Francis

Supprimer Indésirable Répondre Rép. à tous Réexpédier Imprimer

De : Francis Lardy <f.lardy02@tele2.fr>
Date : mardi 1er avril 2008
À : Laure et François Géhan <lesgehan@laposte.net>
Objet : Dîner ?

....

....

....

....

....

....

....

....

Me, te, se, nous, vous

35 Exercice 10 → **Écoutez et associez chaque phrase que vous entendez à une réponse *a* à *f*.**

a. Je te présente Lola. C'est la fille de ma sœur, elle a cinq ans.
b. Oh ! Mais si ! Je t'adore !
c. Alors, attendez… Euh… Je vous vois jeudi à 14 h 20.
d. Je pense qu'il ne nous entend pas.
e. Non, maintenant ce n'est pas possible. On se voit ce soir. D'accord ?
f. Oui, en général, ils m'écoutent, ils vont dire oui.

1	2	3	4	5	6

Exercice 11 → **Remettez les éléments dans l'ordre pour obtenir des phrases correctes.**

1. ne / écoute / il / nous / pas /.

....

2. bien / vous / ne / pas / me / connaissez / très /.

....

3. a / regardé / ne / il / t' / pas / ?

....

4. invite / samedi / elle / anniversaire / son / à / m' /.

....

5. ne / elle / a / vous / compris / pas /.

....

6. ne / je / excuse / pas / t' / !

....

7. semaine / on / la / se / prochaine / voit / ?

....

Exercice **12 → Complétez les phrases avec *me* (*m'*), *te* (*t'*), *se*, *nous* ou *vous*.**

1. Tu es où sur la photo ? Je ne .... vois pas.
2. Bien sûr, j'aime mon mari et il .... adore !
3. Nous ne pouvons pas poser ces questions à cette femme. Elle ne .... connaît pas.
4. Toi, je .... aime et je .... comprends.
5. Moi ? Mais oui, il .... connaît. Je suis une amie de son frère.
6. Allo, Karine ? Bon, on .... voit quand ?
7. Oh ! Pardon, monsieur, je ne .... ai pas salué.

Indiquer la date

Exercice **13 → Complétez avec les mois de l'année.**

janvier, ..., mars, ..., ..., juin, ...,
........................., septembre, ..., ..., décembre

Exercice **14 → Transformez les phrases comme dans l'exemple.**

Exemple : *(12 juillet) On va en France.* → *On va en France le 12 juillet.*

1. (dimanche) Antoine vient nous voir.

....

2. (22 août) Alice et Luc vont se marier.

....

3. (mars) Je vais faire du ski.

....

4. (22 septembre 2003) La petite Léa est née.

....

5. (2010) Je vais faire un voyage au Népal.

....

6. (mardi soir) On va chez Caroline et Fred.

....

7. (lundi 16 novembre) Vous pouvez venir ?

....

8. (juin) Il a des examens.

....

Prendre et fixer un rendez-vous

→ *Livre, pages 60 et 61*

Exercice **15** → **Complétez avec le mot qui convient pour poser une question.**

1. — .... tu ne m'as pas téléphoné hier soir ?
— Parce que je n'ai pas ton numéro de téléphone !
2. — Votre train arrive à .... heure ?
— Il arrive à Nantes à 13 h 22.
3. — .... sports tu aimes bien ?
— Le tennis, le ski et aussi le cyclisme.
4. — .... vous ne voulez pas venir dimanche ?
— Je voudrais venir mais je ne peux pas, j'ai du travail.
5. — Tu es libre .... jour pour aller au cinéma ?
— Le jeudi ou le vendredi soir.
6. — Tu as visité .... villes au Mexique ?
— Mexico, Guadalajara, Monterrey, Morelia et aussi Cancun.

Exercice **16** → **Associez les phrases *a* à *d* aux phrases 1 à 4.**

1. Je voudrais un rendez-vous avec vous.
2. J'aimerais vous voir l'après-midi.
3. J'ai rendez-vous avec vous le mardi 8 à onze heures quinze mais je voudrais changer l'heure.
4. Onze heures quinze, ce n'est pas possible.

a. Oui, quel jour ?
b. Et avant onze heures, ça va ?
c. Ah… l'après-midi, ce n'est pas possible ou alors le mercredi 9 à quinze heures.
d. D'accord. Vous voulez venir à quelle heure ?

1	2	3	4

36 Exercice **17** → **Écoutez et complétez la grille.**

	Qui prend rendez-vous ?	Avec qui ?	Date du rendez-vous	Heure du rendez-vous
dialogue 1	....	....	....	....
dialogue 2	....	....	....	....

Exercice **18** → **Complétez le dialogue.**

— Bonjour monsieur. Je voudrais un rendez-vous avec monsieur Delahaye, s'il vous plaît.

— .... ?

— C'est possible jeudi matin ?

— Ah non, monsieur Delahaye n'est pas là le jeudi. J'ai mardi, mercredi après-midi ou alors vendredi matin. Ou… la semaine prochaine.

— .... ?

— Oui, mardi après-midi, je vous propose 15 heures ou 15 h 40.

— .... ?

— Après ? Oui, c'est possible. 16 h 10, 17 heures ?

— ....

— Très bien. 16 h 10, le mardi 3 avril. .... ?

— Mallard. Christophe Mallard, avec deux L.

— .... !

— Merci, au revoir et à bientôt !

Interroger avec est-ce que

Exercice **19** → **Écrivez les questions avec *est-ce que*.**

1. Tu as quel âge ?

....

2. Il habite où, ton ami Julien ?

....

3. Vous allez manger où ?

....

4. Ils partent à Rennes samedi ?

....

5. Vous allez à Londres quand ?

....

6. Elle est mariée ?

....

Exercice 20 → **Écrivez les questions sans *est-ce que*.**

1. Est-ce que tu vas venir avec Denis ?

....

2. Comment est-ce qu'il s'appelle, le bébé de Manon et de Romain ?

....

3. Quand est-ce que tu vas en Espagne ?

....

4. Est-ce que vous connaissez Luna ?

....

5. À quelle heure est-ce que le cours de français commence ?

....

6. Où est-ce que tu as rendez-vous avec ta mère ?

....

Exercice 21 → **Lisez les réponses et posez des questions avec *est-ce que* ou avec l'intonation.**

1. — .... ?

— À midi, à la gare de Besançon.

2. — .... ?

— Marianne ? Oh ! Elle danse bien, très bien !

3. — .... ?

— Parce que c'est l'heure d'aller travailler.

4. — .... ?

— Moi ? J'habite à Sèvres, près de Paris.

5. — .... ?

— Non, désolé, je n'aime pas la bière.

6. — .... ?

— Mireille. Mireille Daumas.

Demander et indiquer l'heure

→ *Livre, page 62*

(37) Exercice **22** → **Écoutez et écrivez l'heure en chiffres.**

a. .... **d.** ....

b. .... **e.** ....

c. .... **f.** ....

Exercice **23** → **Écrivez l'heure en lettres.**

a. 12 h 00 : .... ou ....

b. 20 h 05 : .... ou ....

c. 14 h 45 : .... ou ....

d. 17 h 30 : .... ou ....

e. 18 h 10 : .... ou ....

f. 19 h 55 : .... ou ....

g. 22 h 15 : .... ou ....

h. 00 h 00 : .... ou ....

Exercice **24** → **Regardez les pendules et écrivez l'heure, en lettres.**

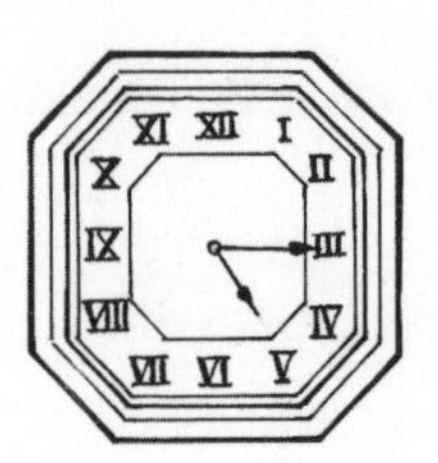

a .... **b** .... **c** ....

d .... **e** ....

(38) Exercice **25** → **Écoutez et complétez les dialogues.**

1. — Il est à quelle heure, ton train ?

— Euh… Attends… Il part à ....

2. — Tu commences à travailler à quelle heure, le matin ?
— Vers ...., en général. Et toi ?
— Moi, à .... heures.

3. — C'est à quelle heure, le film ?
— À ....

4. — Tu as rendez-vous à quelle heure chez le coiffeur ?
— À ....

5. — Vite, son avion arrive à .... !
— On a le temps, il est .... !

6. — Pardon madame, vous avez l'heure, s'il vous plaît ?
— Euh… oui… Il est ....
— Merci !

Exercice **26 → Travail par paires.**

A **Il manque des informations sur le programme de cinéma. Posez des questions à votre voisin et complétez votre programme.**

....	**17 H 00**	....	**21 H 00**
Juno de Jason Reitman	.... de Emir Kusturica	.... de Tim Burton	**No country for old men** de Joel et Ethan Coen
.... de Benoît Mariage	**Lust caution** de Ang Lee	**Les Faussaires** de Stefan Ruzowitzky	.... de Jack Nichols
Le Bannissement de Andrej Zviaguintsev	**No country for old men** de Joel et Ethan Coen	**Le Voyage du ballon rouge** de Hou Hsiao-Hsien	.... de Andrej Zviaguintsev
.... de Sandrine Bonnaire	.... de Laurent Charbonnier	**Garage** de Lenny Abrahamson	**Quatre minutes** de Chris Kraus
Into the wild de Sean Penn	**Les Aventures du prince Ahmed** de Lotte Reiniger	.... de Jean-Marc Moutout	.... de Vincent Dietschy

B **Il manque des informations sur le programme de cinéma. Posez des questions à votre voisin et complétez votre programme.**

14 H 15	....	19 H 00	....
.... de Jason Reitman	**Promets-moi** de Emir Kusturica	**Sweeney Todd** de Tim Burton	.... de Joel et Ethan Coen
Cowboy de Benoît Mariage	.... de Ang Lee	.... de Stefan Ruzowitzk	**Shotgun stories** de Jack Nichols
.... de Andrej Zviaguintsev	**No country for old men** de Joel et Ethan Coen	**Le Voyage du ballon rouge** de Hou Hsiao-Hsien	**Le Bannissement** de Andrej Zviaguintsevv
Elle s'appelle Sabine de Sandrine Bonnaire	**Les Animaux amoureux** de Laurent Charbonnier	.... de Lenny Abrahamson	.... de Chris Kraus
.... de Sean Penn	.... de Lotte Reiniger	**La Fabrique des sentiments** de Jean-Marc Moutout	**Didine** de Vincent Dietschy

Des sons et des lettres

→ *Livre, page 63*

Les lettres finales

Exercice **27** → **Lisez les phrases et rayez les lettres qu'on ne prononce pas.**

1. Tu peux venir, s'il te plaît ?

2. J'aime la France et le français.

3. On va aller chez nos amies à Paris.

4. Tu as une adresse électronique ?

5. Il est quatre heures moins le quart.

6. Ça fait combien, madame ?

[ʃ] *ou* [ʒ] ?

(39) Exercice **28** → **Écoutez et complétez les phrases avec « ch », « g » ou « j ».**

1. On va ...... ez Marc ?
2. ...... e ne veux pas man ...... er dans ce restaurant ...... inois.
3. Elle est très ...... olie, cette femme !
4. Vous allez en Bel ...... ique en ...... uin ou en ...... uillet ?
5. Vous avez ...... oisi, monsieur ?
6. Est-ce que tu pourrais garder mon ...... at ?
7. On va ...... er ...... er ...... ean- ...... arles à l'école.
8. ...... 'adore les voya ...... es !

LES FRANÇAIS CULTIVENT LEUR TEMPS LIBRE

→ *Livre, pages 64 et 65*

Exercice **29** → **Regardez les documents et complétez le tableau page 54.**

a

Théâtre Romain Rolland
Le Geste et l'Image
Villejuif
Scène conventionnée

Placement Libre

SALLE JACQUES LECOQ
JEU 10 AVR 2008 - 20H30
LA DEMANDE EN MARIAGE
Trois pièces en un acte de Tchekhov
Mise en scène: Patrick Pineau
Cie Pipo Patrick Pineau
Mlle Alexandra GALICHER
Abonné Scolaire
7,00 EU
39893
25 319006

c

b

d

e

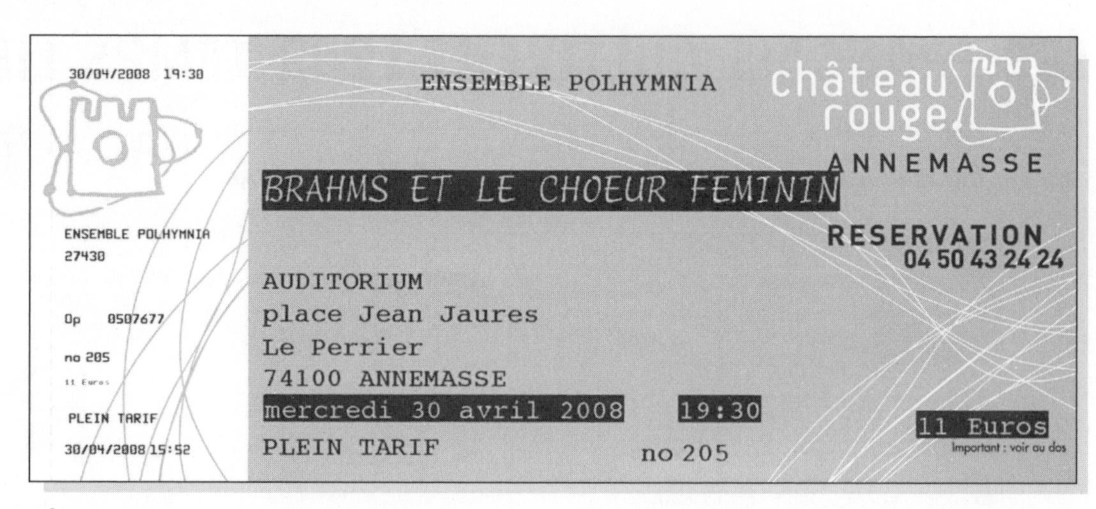

f

	type de loisir (cinéma, musique…)	date et heure	prix
document a			
document b			
document c			
document d			
document e			
document f			

(40) Exercice **30** → **Écoutez et associez chaque dialogue à un document de l'exercice 29.**

dialogues	1	2	3	4	5	6
documents						

→ *Livre, pages 66 et 67*

Exercice **1** → **Lisez et répondez.**

1. La publicité propose

☐ d'acheter un abonnement à un journal ou un magazine.

☐ de mettre votre photo sur une page de l'internet.

☐ de créer la première page d'un journal ou d'un magazine.

2. On propose

☐ un seul journal et un seul magazine.

☐ plusieurs journaux et magazines.

3. Vous pouvez envoyer
- ☐ une photo et un texte.
- ☐ deux ou trois photos.
- ☐ deux ou trois textes.
- ☐ une photo, un texte et un nom de journal personnalisé.

4. Pour 24,50 €, vous envoyez
- ☐ une photo.
- ☐ un texte.
- ☐ une photo et un texte.

5. Vous payez
- ☐ par chèque.
- ☐ par carte bancaire.

Exercice **2 → Complétez les phrases avec *offrir* à la forme qui convient.**

1. Qu'est-ce que vous .... à Julie pour son mariage ?

2. Tu as .... des chocolats à ta grand-mère ?

3. On va .... un week-end dans un château à Ghislain et Amélie.

4. Oh, nous, nous ne .... pas de cadeau cette année !

5. Ils m'ont .... un livre, c'est nul !

6. On voudrait .... un cadeau original, mais on n'a pas d'idée.

Exercice **3 → Rayez le mot qui ne convient pas.**

1. — Bon, alors, qu'est-ce que tu penses (à / de) ton nouveau professeur ?
— Génial ! On fait beaucoup de choses bien avec lui !

2. — Alors, est-ce que tu as pensé (à / de) un cadeau pour Mathieu ?
— J'ai cherché, mais je n'ai pas trouvé.

3. — Ah, Maria, dans le journal, hier, ils ont parlé de Quito, alors j'ai pensé (à / de) toi.
— Oh, c'est gentil ! Et qu'est-ce qu'ils ont dit sur Quito ?

4. — Ah, bon, il t'a parlé ? Et qu'est-ce qu'il pense (à / de) moi ?
— Euh, tu sais bien, il t'adore !

5. — Ah, non, c'est cher ! Et qu'est-ce que tu penses (au / du) rouge, là !
— Le rouge ! Ah, non, il est nul !

6. — Ah, Jean-Luc, pour vous aider dans votre travail, j'ai pensé (à / de) Véra.
— Euh, non, pas Véra ! J'ai des problèmes avec elle.

Exercice **4** → **Pour chaque phrase, écrivez une réponse avec *plaire*.**

1. Qu'est-ce que tu penses du livre de Jean-Paul Dubois ?

....

2. Alors, vous avez aimé vos vacances en Corse ?

....

3. C'est vrai, maintenant tu vas travailler avec Bettina Rang ?

....

4. Et toi, tu voudrais habiter dans le nord de la France ?

....

5. Qu'est-ce qu'elle a pensé de ton cadeau ?

....

6. Tu as lu le livre d'Anna Gavalda, *La Consolante ?*

....

Exprimer son point de vue

→ *Livre, pages 68 et 69*

Exercice **5** → **Associez les éléments de chaque colonne pour former des minidialogues.**

1. Que penses-tu du sac noir ? Elle va aimer ?

2. Mais, toi, qu'est-ce que tu penses de Valérie ?

3. Alors, dis-moi, c'est un beau cadeau pour un enfant, non ?

4. Ça coûte cher, ça, non ?

a. Je trouve qu'elle n'est pas gentille avec toi.

b. Oui, je crois que ça va plaire à Carole.

c. Oui, et je crois que Manuela ne va pas aimer.

d. Je trouve que c'est cher.

1	2	3	4

Exercice **6** → **Rayez le mot qui ne convient pas.**

1. (Quel / Quelle) gentil message !

2. (Quelle / Quelles) belles vacances !

3. (Quelle / Quel) mauvaise idée !

4. (Quelles / Quelle) question curieuse !

5. (Quel / Quelle) voyage horrible !

6. (Quelles / Quelle) bonne surprise !

7. (Quel / Quels) jolis cadeaux !

8. (Quels / Quelles) photos originales !

(41) Exercice 7 → **Écoutez et cochez la case qui convient.**

	1	2	3	4	5	6
Point de vue positif						
Point de vue négatif						

Exercice 8 → **Répondez en exprimant un point de vue différent.**

Exemple : — *Je n'aime pas l'Italie.*
— *L'Italie, moi, j'adore ! Quel beau pays !*

1. — Ah, oui, *Horton*, c'est un bon film, j'ai adoré !
— ....

2. — Non, je ne veux aller à Berck, je n'aime pas cette ville !
— ....

3. — Il m'a offert une petite bougie rose ! Elle est jolie, non ?
— ....

4. — Je pense c'est une bonne idée, ton voyage en Allemagne.
— ....

5. — On peut inviter Valérie, je l'aime bien, Valérie.
— ....

6. — Je trouve que l'appartement est petit, il ne me plaît pas beaucoup.
— ....

Exercice 9 → **Dans le livre, page 66, les messages de Camille et Nicolas indiquent que François peut recevoir quatre cadeaux : une montre, un stylo, un week-end ou un livre personnalisé. Et vous, est-ce que vous préférez une montre, un stylo, un week-end ou un livre personnalisé ? Pourquoi ? Donnez votre avis sur les quatre cadeaux.**

....
....
....
....
....
....
....
....
....

Grand, belle et autre

Exercice **10 → Classez les mots dans la colonne qui convient.**

beau – française – facile – bon – vieille – nulle – autre – grand – joli – nouvelle – russe – original – cher – mauvaise – curieux

masculin	féminin	masculin et féminin
....	....	....
....	....	....
....	....	....
....	....	....

Exercice **11 → Écrivez les adjectifs à la forme qui convient.**

1. Je trouve que c'est un (bon) .... livre.
2. Non, je n'aime pas la photo, elle est (nul) ....
3. On va faire les (autre) .... exercices.
4. La maison est (vieux) .... : elle est de 1850.
5. Non, je n'aime pas, je trouve que c'est (mauvais) ....
6. Je voudrais offrir un (beau) .... cadeau à mes amis.
7. Oh, oui, c'est une (joli) .... ville.
8. Ils habitent dans une (grand) .... maison.
9. J'ai une (nouveau) .... adresse électronique.

Exercice **12 → Complétez avec l'adjectif qui convient.**

un .... monsieur

un .... singe

un .... arbre

une .... fille

un .... gâteau

Bleu, blanc, rouge

Exercice **13** → **Complétez le tableau.**

masculin	vert	....	....	bleu	....	....	....	rose
féminin	....	noire	rouge	....	grise	blanche	jaune	....

Exercice **14** → **Écrivez sous chaque photo la (les) couleur(s) de l'animal ou du fruit.**

une coccinelle .... — un éléphant .... — un mouton .... — une girafe ....

une banane .... — une cerise .... — une orange .... — un kiwi ....

Exercice **15** → **Votre cahier d'exercices est en noir et blanc. Retrouvez les couleurs des drapeaux (vous pouvez utiliser un dictionnaire ou l'internet).**

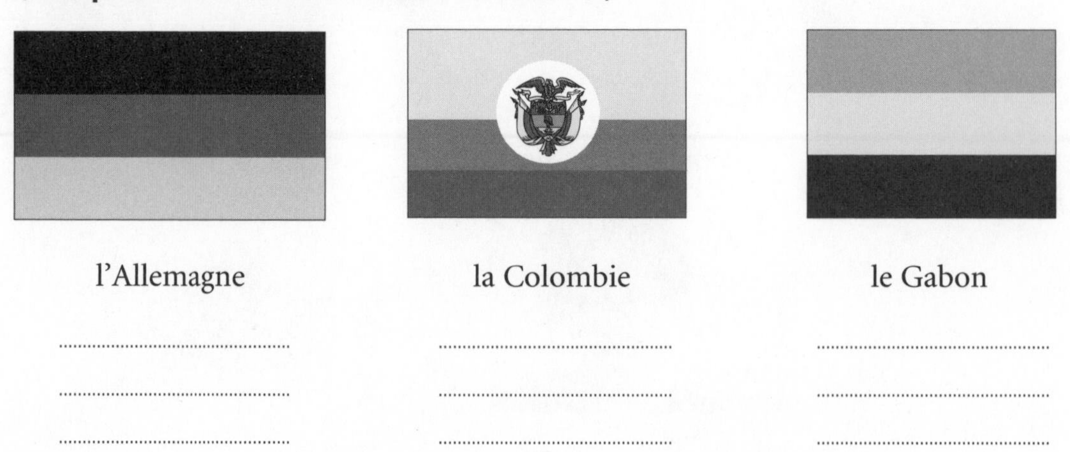

l'Allemagne ....

la Colombie ....

le Gabon ....

la Suède

....

....

....

le Vietnam

....

....

....

la Bretagne

....

....

....

Exprimer la quantité

→ *Livre, pages 70, 71 et 72*

Combien ?

Exercice **16** → **Associez les éléments de chaque colonne pour former des minidialogues.**

— Il y a combien d'étudiants dans la classe ?	•	•	— Alors, deux cafés et un thé… 8,40 euros.
— S'il vous plaît, ça fait combien ?	•	•	— Oui, un peu. 250 ou 300 euros.
— Ça coûte cher ?	•	•	— Quatre cafés et un déca.
— Bon, alors, il y a combien de cafés ?	•	•	— Dix-huit, je crois.

Exercice **17** → **Complétez les phrases avec *combien* ou *combien de (d')*.**

1. Tu as .... frères et sœurs ?

2. Tu as payé .... ?

3. S'il vous plaît, ... ça coûte, la montre, là ?

4. .... argent est-ce que tu as ?

5. C'est ...., un billet de TGV Paris-Lyon ?

6. Il y a .... universités en France ?

Exercice **18** → **Écrivez les questions avec *combien*.**

1. — .... ?

— Nous avons 50 professeurs et 8 employés de bureau.

2. — .... ?

— Le stylo rouge ? 4,50 euros.

3. — .... ?

— Cinq enfants.

4. — .... ?

— Moi, j'ai donné 10 euros !

De l'eau, un peu d'eau, beaucoup d'eau

Exercice **19 → Rayez le mot qui ne convient pas.**

1. — Vous voulez (le / du) thé ?
— Oui, j'adore (le / du) thé.

2. — Je voudrais (l' / son) adresse de Louise.
— J'ai (le / son) numéro de téléphone mais pas (l' / son) adresse.

3. — Maman, il y a (l' / de l') argent sur la table !
— Oui, je sais. Prends (l' / de l') argent, c'est pour toi.

4. — Vous aimez (le / du) café ?
— Oui, mais je voudrais (l' / de l') eau, s'il vous plaît.

Exercice **20 → Rayez le mot qui ne convient pas.**

1. — Excusez-moi, j'apprends le coréen et je cherche un roman en coréen.
— Oh, nous avons (peu de / beaucoup de) livres en coréen, cinq ou six, pas plus.

2. — Tu as (assez d' / trop d') argent ?
— Oui, oui, ça va, j'ai 20 euros.

3. — Je voudrais entrer, s'il vous plaît.
— Non, je suis désolé, ce n'est pas possible, il y a (peu de / trop de) personnes, c'est complet.

4. — C'est facile de trouver un hôtel à Mexico ?
— Oh, oui, pas de problème, il y a (beaucoup d' / peu d') hôtels à Mexico.

5. — Quel est le problème principal dans votre école ?
— Euh, le problème principal ? Il y a (peu d' / trop d') enfants par classe : 40 ou 50 !

6. — Excusez-moi, vous travaillez ? Je peux entrer ?
— Oui, oui, entrez, je vous en prie, j'ai (peu de / un peu de) temps avant ma réunion.

Exercice **21 → Pour chaque dessin, écrivez une phrase avec *peu de, un peu de, assez de, beaucoup de, trop de* et les mots proposés.**

1

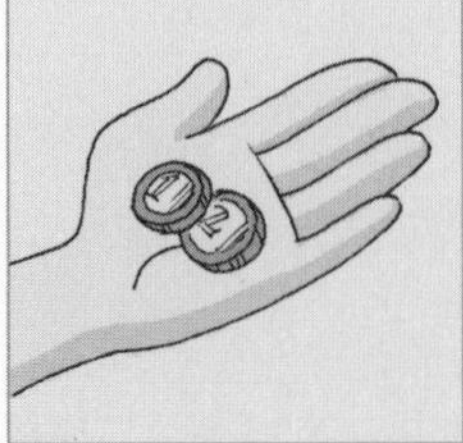

2

3

4

5

1. les enfants : ....

2. l'argent : ....

3. la neige : ....

4. l'eau : ....

5. les personnes : ....

Pas de travail, pas d'argent

Exercice **22** → **Écrivez les phrases à la forme négative.**

1. J'ai des amis à Paris. → ....
2. Tu bois du thé ? → ....
3. Elle a un travail. → ....
4. Vous avez de l'argent ? → ....
5. On a pris une carte bancaire. → ....
6. Il y a eu un problème ? → ....
7. On a trouvé un cadeau. → ....

Le, la, les (pronoms compléments directs)

Exercice **23** → **Remettez les éléments dans l'ordre pour obtenir des phrases correctes.**

1. connais / la / tu / ? ....
2. va / les / elle / demain / recevoir / . ...
3. je / vu / ne / pas / ai / l' / . ...
4. vous / pouvez / à / offrir / les / femme / votre / . ...

   ....
5. vu / as / tu / est-ce que / l' / ? ....

Exercice **24** → **Remplacez les mots soulignés par *le, la* ou *les*.**

1. — Qui sont les deux filles, là-bas ?

   — Je ne sais pas. Je ne connais pas <u>les deux filles</u>.

   ....
2. — Et pense à mes plantes !

   — Oui, oui, je vais arroser <u>tes plantes</u> !

   ....
3. — Mais ! Où est mon gâteau au chocolat ?

   — Euh… le chat a mangé <u>ton gâteau au chocolat</u> !

   ....

4. — Tu as parlé à Sophie ?

— Non. Je vais voir Sophie demain.

....

5. — Il est bien, le nouveau disque de Camille ?

— Non, je n'aime pas le nouveau disque de Camille.

....

6. — Est-ce que Manuel et Adeline vont venir ?

— Oui, je pense, je vais inviter Manuel et Adeline.

....

7. — Tu as lu mon message ?

— Ton message ? Je n'ai pas reçu ton message.

....

8. — Tu as pensé au cadeau pour Stéphanie ?

— Non… je vais acheter le cadeau pour Stéphanie demain.

....

42 Exercice **25** → **Écoutez et choisissez la réponse qui convient.**

1. ☐ Oh, oui, elle m'adore !
☐ Oh, oui, elle l'adore !

2. ☐ Oui. Tu veux l'acheter ?
☐ Oui. Tu veux les acheter ?

3. ☐ Excusez-moi… Je la connais ?
☐ Excusez-moi… Je vous connais ?

4. ☐ Oui, oui, je pense, je vais l'inviter.
☐ Oui, oui, je pense, je vais t'inviter.

5. ☐ Oui, je les ai pris.
☐ Oui, je l'ai pris.

6. ☐ Non, mais je vais le voir demain.
☐ Non, mais je vais la voir demain.

Exercice **26** → **Travail par paires.**

A **Marie veut offrir un cadeau à ses amis Adrien, Benoît, Charles et Driss. Échangez vos informations avec votre partenaire B et trouvez quel ami va recevoir quel cadeau.**

Adrien ne reçoit pas un stylo.
Benoît aime lire et écouter de la musique.
Driss n'aime pas les montres.

	un disque	un livre	une montre	un stylo
Adrien				
Benoît				
Charles				
Driss				

B **Marie veut offrir un cadeau à ses amis Adrien, Benoît, Charles et Driss. Échangez vos informations avec votre partenaire A et trouvez quel ami va recevoir quel cadeau.**

Adrien n'écoute pas de musique.
Charles n'aime pas lire.
Driss aime les beaux livres.

	un disque	un livre	une montre	un stylo
Adrien				
Benoît				
Charles				
Driss				

Exercice **27** → **Lisez les définitions et complétez la grille de mots croisés.**

Horizontalement

I. Pour demander la quantité. – Avec le prénom.
III. Pas blanche. – Jour.
IV. À lui.
V. Est d'accord.
VI. Carte bancaire.
VII. Plus d'un. – Grande maison.
VIII. Personnage.
IX. Aimer beaucoup.
X. Pas beaucoup.
XI. Après la journée.
XII. Jour.
XIV. Regardez pour comprendre. – Ne pars pas.

	1	2	3	4	5	6	7	8	9	10	11	12	13
I								■				■	■
II		■		■		■		■		■		■	
III						■						■	
IV		■	■		■	■		■	■	■			
V								■	■	■	■	■	
VI		■		■		■	■			■		■	
VII		■				■							
VIII	■	■		■	■	■						■	
IX	■	■							■		■	■	■
X				■		■		■	■		■	■	
XI	■		■	■		■	■						
XII									■		■	■	
XIII		■		■		■		■	■		■	■	
XIV						■		■					

Verticalement

1. Sais. – Voyage en avion.
2. Être au passé.
3. Je. – Une chose qu'on donne. – À nous.
4. Petite avenue.
5. Terre au milieu de l'eau. – Négation. – Donnez.
7. Mauvaise. – À la maison. – Cinq et cinq.
8. Qui coûte beaucoup d'argent. – Oui.
9. Négatif. – Café.
10. Personne qui voyage.
11. Juin ou juillet. – À toi.
13. Salut. – Entre jaune et bleue.

→ *Livre, page 73*

« C » *ou* « ç » ?

(43) Exercice **28** → **Écoutez et complétez avec « c » ou « ç ».**

1. J'ai re....u un ....adeau.
2. Oui, le fran....ais est fa....ile !
3. ....a ....oûte ....inquante ....entimes.
4. Il y a ....ombien de le....ons ?
5. ....omment va Fran....ois ?

[k] *ou* [g] ?

(44) Exercice **29** → **Écoutez et complétez les phrases avec « c » ou « g ».**

1. Tu veux un ....rand ....afé ?
2. Je vais re....arder la télé.
3. Il travaille beau....oup.
4. C'est un ....adeau ....urieux.
5. J'ai pris un ....âteau au ....afé.
6. Tu peux ....arder mon chat ?

(45) Exercice **30** → **Écoutez et cochez le mot que vous entendez.**

1.	□ grand	□ cran	5.	□ car	□ gare
2.	□ égoutter	□ écouter	6.	□ quand	□ gant
3.	□ groupe	□ croupe	7.	□ goûter	□ coûter
4.	□ cours	□ gourd	8.	□ cri	□ gris

module 3 Agir dans l'espace

unité 7 *C'est où ?*

→ *Livre, pages 82 et 83*

Exercice 1 → **Associez chaque photo à un nom.**

a

b

c

d

e

f

1. une église – **2.** une place – **3.** un pont – **4.** une rue –
5. une rivière – **6.** une cathédrale – **7.** un quai

a	b	c	d	e	f	g

g

Exercice 2 → **Remettez les éléments dans l'ordre pour obtenir des phrases correctes.**

1. ne / trouve / je / ta / sur / pas / le / rue / plan /.

....

2. d' / assez / ont / n' / plus / ils / argent /.

....

3. pas / je / ne / beaucoup / connais / les /.

....

4. me / est-ce que / viens / tu / ne / voir / pourquoi / plus / ?

....

5. je / frigo / de / lait / pas / dans / le / ne / vois /.

....

6. chat / pas / je / n' / ai / ton / envie / garder / de /.

....

Exercice 3 → a) Complétez chaque phrase avec le verbe *faire* à la forme qui convient.

1. On .... quoi ce week-end ?

2. Qu'est-ce que tu .... après les cours ?

3. Vous .... un petit dîner pour votre anniversaire ?

4. Elle .... quoi comme sport, Émilie ?

5. Nous ne .... pas de plat du jour le samedi.

6. Mais qu'est-ce qu'ils ...., tes voisins ? Ils sont fous !

→ b) Pour chaque phrase de l'exercice *a*, imaginez une réponse.

Exemple : *1. On pourrait aller à Paris, c'est une bonne idée !*

1. ....

2. ....

3. ....

4. ....

5. ....

6. ....

Exercice 4 → Complétez avec les mots proposés.

à droite – tout droit – autour – jusqu'à – au coin

Alors, continue .... dans la rue Mirabeau. Ensuite, tourne .... et continue .... l'église. Tourne .... de l'église et prends la petite rue .... : c'est la rue de la Paix. Va .... et .... de la rue de la Paix et de la rue Hoche, tu vas voir une boulangerie. J'habite ici, au numéro 12, c'est au premier étage.

46 **Exercice 5 → Écoutez la conversation et répondez aux questions par écrit.**

1. Qui téléphone ? À qui ?

....

2. Que cherche Clément ? Pourquoi ?

....

3. Quelle rue Clément va prendre pour aller rue de Strasbourg ?

....

4. Que va faire Clément après la poste ?

....

5. Où est le rendez-vous ? À quelle heure est-ce que les deux amis vont se retrouver ?

....

Demander et indiquer une direction

→ *Livre, pages 84 et 85*

Exercice **6** → **Pour chaque réponse, écrivez une phrase pour demander votre chemin.**

1. — .... ?

— C'est juste là, à droite après le café.

2. — .... ?

— Alors, vous prenez l'avenue Napoléon, puis c'est la première rue à gauche.

3. — .... ?

— Je crois que c'est la deuxième ou la troisième rue à gauche.

4. — .... ?

— Ah ! non, désolé, je ne connais pas du tout.

5. — .... ?

— Non, c'est près d'ici. Prenez la première rue à droite et c'est à gauche, juste après un restaurant chinois.

6. — .... ?

— Vous allez continuer tout droit et vous allez prendre la première rue à droite. La banque est à gauche après l'école Rabelais.

Exercice **7** → **Lisez le message qu'Aiko adresse à Fabio puis, sur le plan, tracez le trajet de Fabio, de la station de métro jusqu'au restaurant.**

De : Aiko Sarkissian <aiko.sarkissian@laposte.net>
Date : vendredi 29 février 2008
À : Fabio Araujo <fabio.araujo@alice.fr>
Objet :

Salut Fabio !
J'espère que tu n'as pas oublié notre rendez-vous de ce soir avec Stéphane et Sophie.
On a réservé au restaurant *Le rendez-vous* pour 20 heures ; c'est de la cuisine française, simple mais de qualité.
Le restaurant se trouve dans le XIVe arrondissement, près de la gare Montparnasse.
Il faut descendre au métro Pernety. Tu sors rue Raymond Losserand, tu verras *le Café du métro* au coin de la rue Losserand et de la rue Pernety. Tu passes devant le café qui sera sur ta gauche, tu vas tout droit, rue Losserand, puis tu prends la première rue à droite, la rue du Château. Tu descends cette rue jusqu'à une petite place avec des arbres ; au niveau de cette place, tu prends la 2e rue à gauche, la rue Asseline ; il y a d'abord la rue Édouard Jacques, puis la rue Asseline. Dans la rue Asseline, tu prends la première rue à droite ; elle s'appelle passage de la tour de Vanves. Le restaurant est au numéro 6.
Si tu es perdu, appelle-moi sur mon portable !
Bises,
Aiko

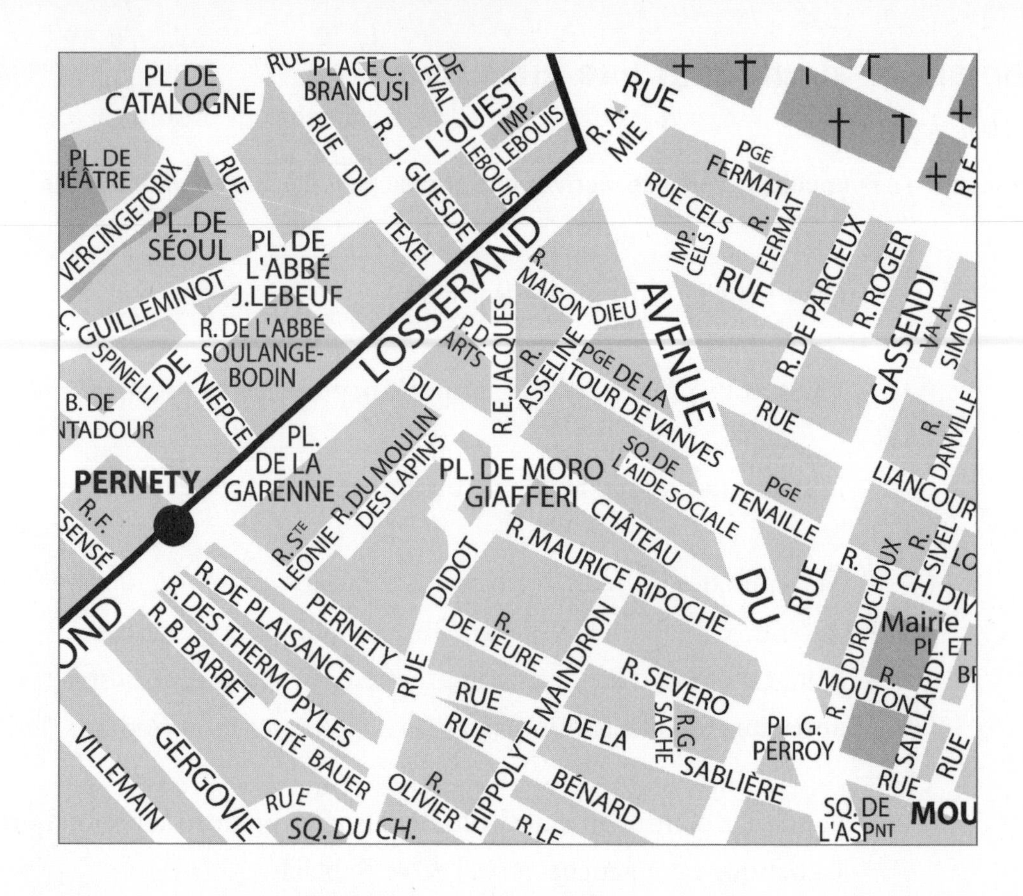

Exercice 8 → **Regardez le plan de l'exercice 7 et écrivez un dialogue entre deux personnes A et B.**

A et B sont rue de Plaisance, à la station de métro.

A veut aller rue Gassendi. Il demande sa direction à B.

B lui indique la direction.

A remercie B.

A et B se saluent.

L'impératif

Exercice 9 → **Transformez à l'impératif les textes au présent.**

a) Vous donnez des informations à une personne dans la rue.

Vous prenez la première rue à gauche après le pont, puis vous tournez à gauche juste après la Banque nationale de Paris. Vous continuez tout droit jusqu'à la place Suffren. Vous passez devant le musée de la Marine et vous allez tout droit jusqu'à la Seine.

....

....

....

....

b) Vous donnez des informations à un ami qui doit venir chez vous et ne connaît pas la ville.

Bon, alors tu sors de la gare et tu tournes à droite. Tu montes la rue des Anglais et tu prends la petite rue à droite, juste après le cinéma « Le studio ». Tu continues tout droit sur 100 ou 150 mètres et tu tournes à gauche, avenue de la Maine. Là, tu prends la première rue à droite, rue du roi René. J'habite là, au numéro 21.

....

....

....

....

Exercice **10** → **Vous donnez des conseils à un ami de votre classe qui a des problèmes pour apprendre le français.**

1. (Apprendre) les conjugaisons et (lire) les tableaux de l'unité.

....

2. Le soir, chez toi, (relire) les dialogues et les exercices et (écouter) le CD.

....

3. (Faire) deux ou trois exercices du cahier chaque jour.

....

4. (Regarder) des films en français et (essayer) de comprendre dans l'ensemble.

....

5. Dans la classe, (ne pas hésiter) à parler en français, c'est bien pour apprendre !

....

6. (Travailler) avec des amis ; à deux ou trois, on peut s'aider.

....

Exercice **11** → **Transformez les réponses comme dans l'exemple.**

Exemple : — *Je ne vois pas la rue sur mon plan. On va être en retard.*
— *<u>On va demander</u> à quelqu'un !* → — *Demandons à quelqu'un !*

1. — Bon, on va où ? Au restaurant chinois ou au grec ?
— <u>On va au grec</u>, ça va changer un peu. → ....

2. — Oh… il fait froid et la pluie arrive.
— Oui, <u>on va rentrer</u> à la maison boire un thé bien chaud ! → ....

....

3. — Un stylo ? Ce n'est pas une bonne idée de cadeau, je trouve.
— C'est vrai, <u>on va trouver</u> une autre idée ! → ....

....

4. — On a du temps. On pourrait aller attendre Raphaël à la sortie de l'école ?
— Bonne idée, <u>on va aller</u> l'attendre ! → ....

....

5. — Qu'est-ce que vous proposez pour que notre entreprise se porte bien ?
On devrait changer nos méthodes de travail, non ?
— Oui, je suis d'accord. <u>On va changer</u> nos méthodes de travail !

....

(47) Exercice **12** → **Écoutez et associez chaque phrase à un dessin.**

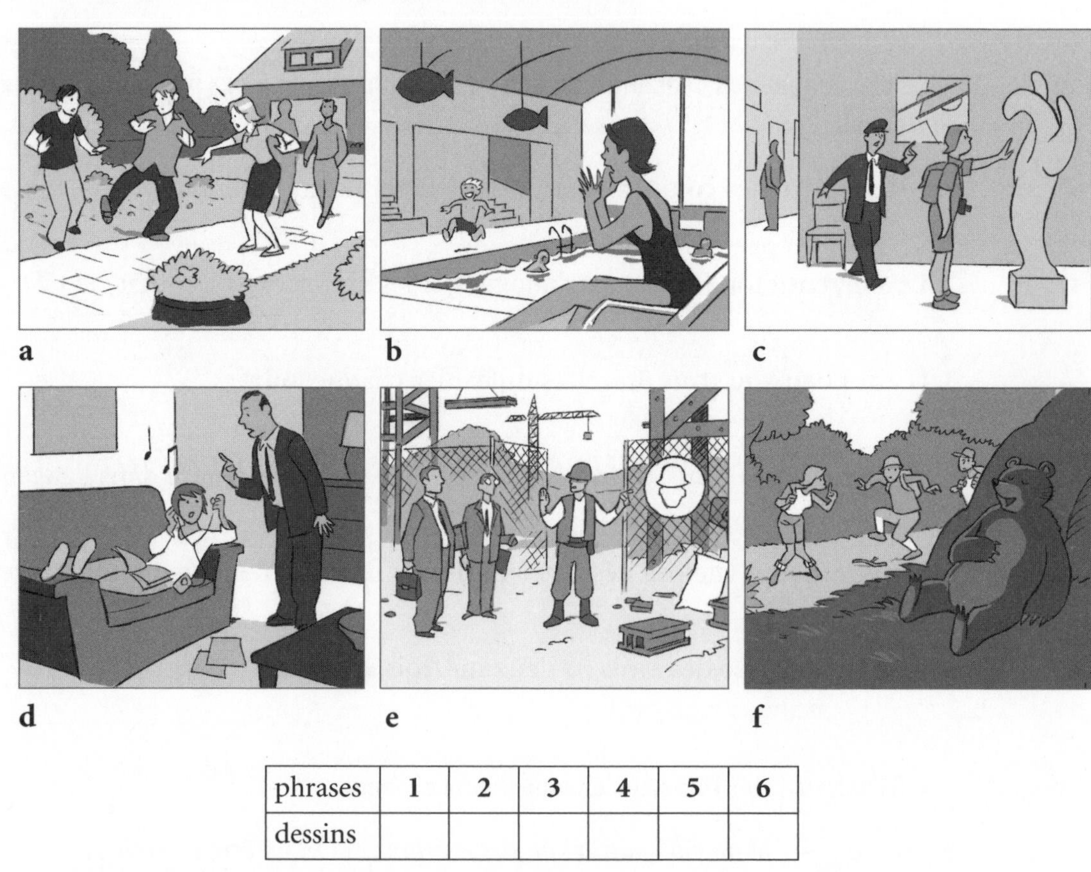

phrases	1	2	3	4	5	6
dessins						

Exercice **13** → **Faites des phrases à l'impératif négatif avec les éléments proposés.**

1. (tu – faire) .... ça ! Ce n'est pas gentil.
2. (vous – écouter) .... toutes les histoires qu'on raconte !
3. (tu – aller) .... dans ce café, les gens sont bizarres.
4. (vous – prendre) .... de cours de français, vous parlez bien, maintenant !
5. (vous – aller) .... voir ce film, il est nul !
6. (tu – venir) .... après 21 heures, je suis fatiguée.

7. (tu – travailler) .... jusqu'à minuit, dors un peu !
8. (vous – s'excuser) .... , ce n'est pas très important !

Localiser

→ *Livre, pages 86, 87 et 88*

Au, à la, du

Exercice **14** → **Associez un élément de chaque colonne pour construire des phrases.**

1. Je vais acheter des fruits
2. J'ai retiré 80 €, je viens
3. Oui, Paul est là ; il est rentré
4. On fait du badminton
5. Pour les passeports, allez
6. Attendez-moi deux minutes, je vais
7. Tu n'as plus d'argent, va
8. Je dois être

a. à la salle omnisports Pierre de Coubertin.
b. à l'aéroport à 10 heures.
c. du bureau.
d. à la banque.
e. aux toilettes.
f. au marché.
g. de la banque.
h. au bureau 320, au 3e étage.

1	2	3	4	5	6	7	8

Exercice **15** → **Complétez les phrases.**

1. Rendez-vous (à) .... restaurant italien à 20 heures.
2. À quelle heure est-ce que tu sors (de) .... bureau, ce soir ?
3. Pardon, où est l'entrée (de) .... exposition, s'il vous plaît ?
4. Cet après-midi, je vais aller travailler (à) .... bibliothèque de l'université.
5. Attends-moi, je vais (à) .... toilettes !
6. Je suis fatigué, je suis arrivé (de) .... États-Unis ce matin à 10 heures.
7. Où est la sortie (de) .... magasin ?
8. Passez à droite (de) .... cathédrale et tournez à gauche.

Le passé composé (2)

Exercice **16** → **Complétez les phrases avec *être* ou *avoir* à la forme qui convient.**

1. Tu .... parlé à Victoria ?
2. Je ne .... pas retourné à Prague depuis 2003.
3. Tu .... allée voir le dernier film de Luc Besson ?
4. Les enfants .... montés dans leur chambre ?

5. Simon ne .... pas voulu la voir.
6. Ça va ? Vous .... compris ?
7. Nous .... sortis hier soir avec quelques amis et nous .... beaucoup ri.
8. On .... mangé dans un très bon restaurant près de la Bastille.

Exercice **17** → **Écrivez correctement les participes passés.**

1. Alice est (aller) .... faire du ski dans les Alpes.
2. Nous n'avons pas (téléphoner) .... à Louis cette semaine.
3. Ils sont (partir) .... à quelle heure ?
4. Elles sont (passer) .... par Montpellier parce que c'est une jolie ville.
5. Est-ce que tu as (prendre) .... ton sac de sport ?
6. Tony et Théo sont (venir) .... te voir hier soir ?
7. Pauvre Olivia ! Elle est (tomber) .... de son cheval.
8. Est-ce que vous avez (voir) .... ses drôles de chaussures ?

Exercice **18** → 48 **a) Écoutez puis associez chaque phrase à un verbe à l'infinitif.**
→ **b) Donnez le participe passé de chaque verbe de la liste.**

	voir	faire	vouloir	finir	pouvoir	savoir	avoir	plaire
phrase	*1*							
participe passé	*vu*							

Exercice **19** → **Écrivez les verbes entre parenthèses au passé composé.**

1. Ils (venir) .... chez moi hier soir après le dîner.
2. On (ne pas pouvoir) .... aller chez Michelle pour son anniversaire.
3. Est-ce qu'elles (retourner) .... à Deauville cette année ?
4. Tes parents (repartir) .... chez eux ?
5. Tous les employés (être) .... invités à dîner à l'hôtel du Nord.
6. Les enfants (avoir) .... un beau cadeau pour Noël.
7. Je (ne pas répondre) .... au message de Daniel.
8. Ils (ne pas dire) .... au revoir et ils (partir) ....

Exercice **20** → **Transformez ces dialogues au passé.**

1. — Qu'est-ce que tu choisis ?
— Je prends une omelette au fromage et une salade.

....

....

2. — Elle part à quelle heure, Virginie ?
— Elle ne part pas aujourd'hui, elle reste chez sa sœur.

....

....

3. — Tu ne vas pas chez Claudie et Frantz ?
— Non, parce qu'ils vont à la montagne pour le week-end.

....

....

4. — Vous lisez le dernier roman d'Amélie Nothomb ? Vous l'aimez ?
— Ah ! Oui, je l'adore !

....

....

5. — Pedro envoie un message à Manon ?
— Non, Manon lui écrit mais Pedro ne lit pas ses messages et il ne répond pas.

....

....

49 Exercice **21** → **Écoutez le dialogue et utilisez les mots proposés pour raconter l'aventure de Stéphanie.**
Stéphanie et Jérôme – samedi – anniversaire de François – la moto – l'hôpital – une nuit – la chance – le père de Jérôme – peur

....

....

....

....

....

En face, à côté, sur…

Exercice **22** → **a) Associez chaque mot à sa définition.**

1. un studio
2. un bureau
3. un fauteuil
4. un lave-linge

a. une table pour travailler
b. une machine pour laver les vêtements
c. un petit appartement
d. une chaise confortable pour lire, discuter, regarder la télé…

1	2	3	4

→ b) Écrivez chaque nom sous la photo correspondante.

un lavabo – un miroir – une douche – une télévision

a .... **b** .... **c** .... **d** ....

Exercice **23** → **Lisez les phrases et complétez le plan avec le nom des magasins ou bâtiments.**

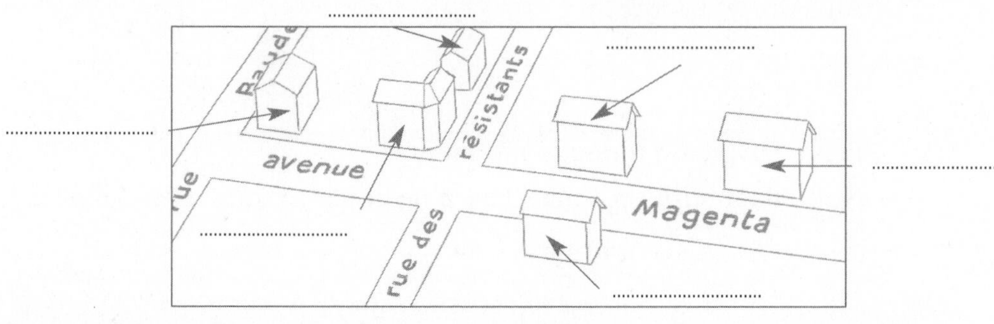

La boulangerie est au coin de l'avenue Magenta et de la rue des Résistants.

Le cinéma Pathé est au bout de l'avenue Magenta.

La poste est entre la boulangerie et le restaurant.

Le *Café des sports* est en face de la poste.

L'épicerie est à côté de la boulangerie.

Exercice **24** → **Travail par paires**

A **Le nom de certains magasins ou bâtiments n'est pas indiqué sur le plan. Posez des questions à votre partenaire et complétez le plan.**

A
Brasserie des Sports
B
C
Hôtel de ville
boulevard Thiers
Office de tourisme
D
E
Magasin de chaussures
Place de la liberté
rue Marceau
Église Sainte-Marie
F
H
Gare SNCF
rue du commerce
Café Chez Michel
G
Pharmacie

A = ...

B = ...

C = ...

D = ...

E = ...

F = ...

G = ...

H = ...

B **Le nom de certains magasins ou bâtiments n'est pas indiqué sur le plan. Posez des questions à votre partenaire et complétez le plan.**

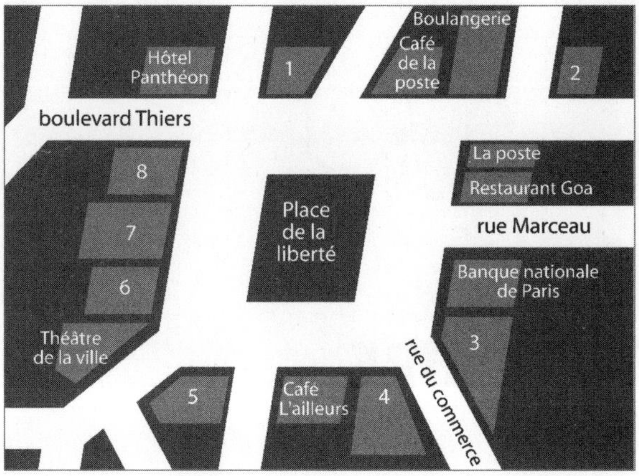

Boulangerie
Hôtel Panthéon
1
Café de la poste
2
boulevard Thiers
La poste
Restaurant Goa
8
Place de la liberté
7
rue Marceau
6
Banque nationale de Paris
Théâtre de la ville
3
rue du commerce
5
Café L'ailleurs
4

1 = ...

2 = ...

3 = ...

4 = ...

5 = ...

6 = ...

7 = ...

8 = ...

Premier, deuxième...

(50) Exercice **25** → **Écoutez et notez le numéro de la phrase où vous entendez chaque mot.**

35e : n° *2*	13e : n°	1er : n°	12e : n° ....
21e : n°	72e : n°	2e : n°	25e : n° ....

Des sons et des lettres

→ *Livre, page 89*

Tournez ou tourner ?

(51) Exercice **26** → **Écoutez et complétez les mots.**

1. Vous pouv.... tourn.... à droite, s'il vous pl....t ?
2. Tu as visit.... le mus.... des Arts premi....s ?
3. Ferm.... la fen....tre, s'il vous pl....t !
4. Tu ....mes le sport à la t....l....vision ?
5. Tu veux all.... au cin....ma, ce soir ?
6. J'.... oubli.... m.... cl....s à la m....son.

[p] *ou* [b] ?

Exercice **27** → (52) **a) Écoutez et cochez la case qui convient.**

	1	2	3	4	5	6
[p]						
[b]						

→ (53) **b) Écoutez et dites si vous entendez le son [p] (*petit*) dans le premier, le deuxième ou le troisième mot. Complétez la grille.**

	1	2	3	4	5	6
premier mot						
deuxième mot	X					
troisième mot						

ARCHITECTURE ET NATURE

→ *Livre, pages 90 et 91*

(54) Exercice **28** → **Écoutez et associez chaque dialogue à une photo.**

a ....

b ....

c ....

a	b	c	d

d ....

Exercice **29** → **Replacez chaque légende sous la photo qui convient.**

Institut du monde arabe, Paris – Université des sciences, Agen – Les Champs Libres, Rennes – Palais de justice, Évreux

54 Exercice **30** → **Écoutez de nouveau les dialogues de l'activité 28 et associez les caractéristiques à un bâtiment. Cochez les cases qui conviennent.**

	photo a	photo b	photo c	photo d
1. C'est en verre.				
2. Il y a le drapeau français.				
3. C'est près de la gare.				
4. Il marque le dialogue entre deux cultures.				
5. Le toit est rond.				
6. C'est en acier et en verre.				
7. Les formes sont originales.				

→ *Livre, pages 92 et 93*

55 Exercice 1 → **Écoutez les personnes qui parlent de leur pays et complétez la grille.**

	Vient de quel pays ?	Habite où maintenant ?	Pourquoi en France ?	Qu'est-ce qui lui manque de son pays ?
1				
2				
3				

Exercice 2 → **Transformez les phrases comme dans les exemples.**

MANQUER

Exemples : *Abdou pense souvent à son pays.* → *Son pays manque beaucoup à Abdou.*
→ *Son pays lui manque beaucoup.*

1. Marie va souvent penser à John. → ....

....

2. Les filles pensent à leurs amies du Canada. → ....

....

3. Setsuko pense un peu à sa famille. → ....

....

4. Alia et Toni ne pensent pas du tout à leur ville.→ ....

....

PLAIRE

Exemples : *Les enfants ont aimé leurs cadeaux.* → *Leurs cadeaux ont plu aux enfants.*
→ *Leurs cadeaux leur ont plu.*

1. Vos amis ont aimé ces vacances ? → ....

....

2. Ton père aime les églises modernes ? → ....

....

3. Isabelle n'a pas aimé le film d'Ang Lee ? → ....

....

4. Mes copains vont aimer mon gâteau…→ ....

....

Exercice **3** ⟶ **Associez les réponses aux questions.**

1. On part vers 6 heures demain ? Qu'est-ce que tu en penses ?
2. Il habite où, Stephen ?
3. Tu as parlé de ce travail avec Sophie ?
4. Il veut faire le tour du monde.
5. Ça te dit de dîner au restaurant tibétain ?
6. On va le dire aux parents ?

a. Je vais lui en parler demain, on déjeune ensemble.
b. Oui, il faut leur en parler.
c. D'accord, ça marche !
d. Je n'en sais rien du tout, moi…
e. Oh ! oui, j'en ai très envie ! On y va tout de suite !
f. Hum… moi aussi, j'en rêve !

1	2	3	4	5	6

Exercice **4** ⟶ **Transformez les réponses. Remplacez les éléments soulignés par un pronom.**

Exemple : — *Tu veux un ticket de métro ?*
— *Non merci, je n'ai pas besoin de ticket, j'ai la carte « navigo ».*
⟶ — *Non merci, je n'en ai pas besoin, j'ai la carte « navigo ».*

1. — Et ta femme, elle connaît la situation ?
— Non, je ne parle pas de la situation à Marie. Elle va s'inquiéter.

………………………………………………………………………………………………

2. — Vous voulez visiter la ville demain matin ?
— Demain ? Non, je n'ai pas très envie de visiter la ville.

………………………………………………………………………………………………

3. — Qui connaît tes projets ?
— Je vais parler de mes projets à mes amis.

………………………………………………………………………………………………

4. — Tu penses toujours à ton voyage en Inde ?
— Ah ! oui, j'ai encore rêvé de ce voyage la semaine dernière.

………………………………………………………………………………………………

5. — J'ai pensé à une chose : avec Julien et Sophie, on pourrait faire en voyage en Chine.
— Oui, d'accord, mais tu leur as parlé ? Qu'est-ce qu'ils pensent de faire un voyage en Chine ?

………………………………………………………………………………………………

Exprimer l'obligation ou l'interdit

→ *Livre, pages 94 et 95*

56 Exercice 5 → **Regardez les panneaux et écoutez les personnes qui donnent des ordres ou interdisent. Associez une phrase à un panneau.**

1	2	3	4	5	6
b					

Exercice 6 → **Mettez les phrases à la forme négative.**

1. Marchez sur le trottoir. → ....

2. Il faut attendre Michel. → ....

3. Tu dois partir maintenant. → ....

4. Allez visiter le nouveau musée des Arts ! → ....

5. Il faut écrire en rouge. → ....

6. Entrer sans sonner. → ....

7. Reste là, s'il te plaît. → ....

57 Exercice 7 → **Écoutez et retrouvez qui peut prononcer les phrases et dans quelles situations. Complétez la grille.**

a. Un père qui parle à son enfant.

b. Un contrôleur à la gare SNCF.

c. Quelqu'un sur un répondeur téléphonique.

d. Un homme qui parle à son ami.

e. Un professeur dans la classe.

f. Un agent à l'aéroport.

1	2	3	4	5	6

Exercice 8 → Complétez les phrases avec *devoir* à la forme qui convient.

1. Vous .... arriver à l'heure tous les matins.
2. Nous .... téléphoner à la banque pour régler ce problème.
3. Élise ne .... pas être triste ; c'est la vie…
4. Je .... faire mes bagages pour partir avant midi.
5. Je crois que tu .... en parler à tes parents.
6. Les étudiants .... travailler à la maison chaque soir après les cours.

Exercice 9 → Complétez les phrases avec *pouvoir*, *vouloir* ou *devoir* à la forme qui convient.

1. Tu .... acheter un pain pour ce soir, s'il te plaît ?
2. Ils ne sont pas libres, ils ne .... pas venir à mon anniversaire.
3. Mais pourquoi est-ce que tu ne .... pas écouter les bons conseils que tes parents te donnent ?
4. Notre train est à 14 h 28 et il est 14 h 10 ; vite, on .... partir !
5. Claire et Hans n'ont pas assez d'argent ; ils ne .... pas partir en vacances avec nous.
6. Vous .... sonner avant d'entrer ici.
7. Il y a beaucoup de travail en ce moment et ils .... rester au bureau jusqu'à 18 heures.
8. Nous .... faire une surprise à Arnaud pour son anniversaire. Tu as une bonne idée ?

Exercice 10 → Les parents d'Antoine partent en vacances et sa mère écrit un message pour lui expliquer comment utiliser la machine à laver. Lisez le mode d'emploi, puis complétez le message.

① Mettre les vêtements dans la machine à laver.
② Verser la lessive dans le bac.
③ Fermer la porte de la machine.
④ Tourner le bouton de droite pour choisir la température.
⑤ Choisir le programme de lavage avec le bouton de gauche.
⑥ Appuyer sur le bouton « marche ».

Antoine,

Pour utiliser la machine à laver, ...

.... dans la machine à laver.

Ensuite, ...

la lessive dans le bac et ....

.... la porte de la machine.

Après, ...

.... pour choisir la température,

puis ....

.... avec le bouton de gauche.

Enfin, ...

« marche ».

Conseiller

→ *Livre, pages 96, 97 et 98*

58 Exercice 11 → **Les personnes donnent des conseils. Écoutez puis complétez la grille.**

	Qui donne le conseil ?	Pourquoi ?	Comment ?
1	*un médecin*	*la personne est fatiguée*	*vous devez…*
2			
3			
4			
5			

Exercice 12 → **Exprimez les conseils d'une autre manière.**

1. Il faut manger de la viande tous les jours, tu sais…

....

2. Ne dis pas ça, pense à l'avenir !

....

3. Tu pourrais peut-être en parler à ton médecin ?

....

4. Il ne faut pas t'inquiéter, ça va aller.

....

5. Vous devez vous présenter à la réception avant d'aller dans la salle d'attente.

....

6. Vous pourriez partir un peu en vacances ?

....

Exercice **13** → **Associez les réponses aux questions.**

1. Tu as vu de belles choses au Costa Rica ?
2. Tu prends quelque chose ? Café ? Thé ?
3. Ils connaissent quelqu'un en Martinique ?
4. Tu as vu quelqu'un au café ? Maria et Yves, peut-être ?
5. Il n'y a personne pour les ordinateurs ?
6. Quelque chose te plaît dans le magasin ?
7. Il y a quelque chose à manger à la maison ?

a. Non, je n'ai rencontré personne.
b. Si, attendez, je vais appeler quelqu'un.
c. Non, je n'ai rien acheté.
d. Non, je n'ai pas eu le temps, je n'ai rien vu.
e. Non merci, je ne veux rien.
f. Non, je n'aime rien.
g. Non, personne.

1	2	3	4	5	6	7

Exercice **14** → **Complétez les phrases avec *quelque chose, rien, quelqu'un* ou *personne*.**

1. — Tu as rencontré .... au *Café de la Fac* ?
— Non, je n'ai vu ....
2. — Vous voulez boire ...., monsieur ?
— Oui, je vais prendre un jus d'ananas, s'il vous plaît.
3. — Mais qui t'a mis ça dans la tête ?
— .... ne m'a parlé, j'ai réfléchi, c'est tout.
4. — .... veut un petit chocolat ?
— Oh ! oui, moi, je veux bien.
5. — Tu n'as pas entendu du bruit, hier soir ?
— Non, je n'ai .... entendu !
6. — Police ! Vous avez vos papiers, s'il vous plaît ?
— Ah ! non, je n'ai .... sur moi. Désolé.
7. — .... n'est très intéressant dans ce livre, tu ne trouves pas ?
— Moi, j'ai beaucoup aimé. .... est très bizarre : on n'aime jamais les mêmes livres !
8. — Tes parents ont fait .... pour toi ?
— Non, ils n'ont .... fait pour m'aider.

Qui, que, où

Exercice **15** → **Transformez les phrases avec *où*, *qui* ou *que*.**

Exemple : *L'homme est très grand et il a de beaux yeux bleus. Je vois l'homme tous les jours dans le bus.*
→ *L'homme que je vois tous les jours dans le bus est très grand et il a de beaux yeux bleus.*

1. Tous les vendredis, on va au café *L'Entrepotes*. Le café *L'Entrepotes* est très sympathique.

....

2. Tu connais la belle femme brune ? La femme est près de la fenêtre.

....

3. Je voudrais revoir les photos. Les photos sont sur la petite table.

....

4. On peut manger le pain ? Tu as acheté le pain ce matin.

....

5. J'ai beaucoup aimé le film. J'ai vu le film avec ma sœur et son ami Martin.

....

6. J'aimerais retourner dans la ville. J'ai rencontré ma femme dans la ville.

....

7. Il faut retourner au restaurant grec. Tu as dîné au restaurant grec hier soir.

....

8. Vous avez aimé le spectacle ? Nous avons vu ce spectacle mercredi.

....

Exercice **16** → **Faites toutes les associations possibles. Complétez la grille de réponses.**

1. C'est elle, la femme…

2. J'adore ce pays…

3. Elle ne veut pas parler aux personnes…

a. qui m'a parlé dans le bus.
b. que je connais très bien.
c. qui a une histoire très ancienne.
d. qui lui ont dit bonjour.
e. que je vois le samedi à la piscine avec son mari.
f. où il fait chaud toute l'année.
g. que j'ai visité l'été dernier.

1	2	3
a, ...	....	....

Exercice **17** → **Complétez les dialogues avec *où, qui* ou *que*.**

1. — Pierre, où est le livre .... tu m'as offert pour mon anniversaire ?
— Je ne sais pas, moi ! Ce n'est pas le livre .... tu as prêté à Stéphanie ?
— Hier ? Mais non, c'est elle .... m'a prêté un livre sur le Guatemala.
— Ah, bon…

2. — Pourquoi on ne retourne pas dans le petit village .... on a visité avec Claire et Guy ?
— Là .... on a dîné, dans le bon restaurant italien ?
— Oui, ce petit restaurant .... nous a beaucoup plu à tous.
— C'est une bonne idée .... tu as là ! Dimanche ?

3. — J'aime beaucoup le CD .... j'ai écouté chez toi la semaine dernière.
— Quel CD ?
— J'ai oublié le nom. Le chanteur .... chante un peu comme Paul Personne, tu vois ?
— Euh… bah non. Désolé.

Me, te, lui, leur…

Exercice **18** → **Lisez les dialogues et écrivez quel nom remplace chaque pronom.**

1.
— Salut, Louis ! Ça va ?
— Oui, et toi ?
— Bah oui.
— Dis-moi, on ne t'a pas vu jeudi en cours de peinture ?
— Et non, mes parents sont venus me voir et je les ai invités au restaurant. En plus, vers 18 heures, mon voisin a eu un problème chez lui et je l'ai aidé. J'ai gardé sa fille et il a pu réparer son problème dans la salle de bains.
— Elle a quel âge, la petite ?
— Trois ans, elle s'appelle Mia et je l'adore.

2.
— Vous pouvez m'aider, s'il vous plaît ?
— Euh… oui, peut-être, monsieur.
— Je cherche la rue de Milan mais je ne la trouve pas sur le plan.
— Ah… j'ai entendu parler de cette rue mais je ne la connais pas vraiment. Vous ne la voyez pas sur votre plan ?
— Bah non.
— L'office du tourisme est juste derrière, il y a des personnes qui vont vous aider.
— Je suis allé à l'office du tourisme.
— Et alors ? Vous leur avez demandé la rue que vous cherchez ?
— Oui, mais personne n'a pu me renseigner. Mais je vais chercher. Je vous remercie, madame.

1. les : .... – l' : ....
l' : ....

2. la : .... – la : ....
la : .... – leur : ....

Exercice **19** → **Dans les phrases, soulignez en bleu les pronoms compléments directs et en rouge les pronoms compléments indirects.**

1. Quand je l'ai vu, je lui ai tout raconté.

2. Tu m'écoutes, tu es sûr ?

3. Un homme m'a aidé à porter ma valise et je lui ai offert un café.

4. Je ne les connais pas beaucoup mais je les aime bien.

5. Je vais leur téléphoner ce soir pour leur demander pourquoi ils ne viennent pas dimanche.

6. Il m'a expliqué son problème mais je ne le comprends pas.

7. Elle t'a écrit ou elle t'a appelé ?

8. Je leur ai prêté mon CD et ils l'ont perdu.

Exercice **20** → **Dans les phrases, rayez l'élément (les éléments) qui ne convient (conviennent) pas.**

1. Tu veux (le / lui / leur) parler ?

2. Qu'est-ce que tu vas (m' / la / leur) offrir pour mon anniversaire ?

3. Il (t' / l' / leur) a donné un peu d'argent ?

4. Je ne (l' / le / lui) ai pas dit ça ! Je ne (lui / l' / leur) ai pas vu cette semaine !

5. Tu (m' / l' / lui) as entendu cette nuit ?

6. On va (les / lui / leur) inviter à dîner samedi soir.

7. Vous ne voulez pas (te / lui / les) dire un petit bonjour ou (l' / leur / t') appeler ce soir ?

Exercice **21** → **Associez les réponses aux questions.**

1. Elle t'a parlé ?

2. Monsieur Drouin est là, aujourd'hui ?

3. Tu as lu le dernier roman de Bertrand Visage ?

4. Tu as écrit à ton père ?

5. Tu as bien compris ?

6. Il a proposé à son amie d'aller au concert ?

a. Non. Tu pourrais m'expliquer encore ?

b. Oui, il lui en a parlé.

c. Non, je ne le connais pas. Et, le titre, c'est quoi ?

d. Je ne sais pas, je ne l'ai pas vu.

e. Elle m'a dit bonjour, oui.

f. Non, je préfère lui téléphoner.

1	2	3	4	5	6

→ *Livre, page 99*

Prononcer « e »

Exercice **22** → (59) **a) Écoutez les mots et classez-les dans le tableau.**

[ə] (*venir*)	[e] (*allé*) ou [ε] (*mère*)
....	....
....	....
....	....

→ **b) Dans la colonne de droite, trouvez cinq mots qui n'ont pas d'accent sur le « e ». Soulignez la lettre (les lettres) qui explique(nt) que le « e » n'a pas d'accent et se prononce [ε].**

Exercice **23** → (60) **a) Entraînez-vous à lire les mots ci-dessous. Vérifiez avec l'enregistrement.**

sieste
antenne
relire
descendre
pelle
énerve
examiner
terre
déchet

→ **b) Dans les mots suivants, entourez la lettre (les lettres) qui explique(nt) que le « e » a un accent.**

Exemple : *é(ch)anger*

règle – déchire – décline – écluse – fenêtre – église – écrire – être

Exercice **24** → **Observez les mots et mettez les accents qui manquent.**

veste – espere – exemple – merci – verse – etrange – elle – cesse – regle – belge – offert

[b] *ou* [v] ?

(61) Exercice **25** → **Écoutez et complétez les phrases avec « b » ou « v ».**

1. Il est ....eau ce ....élo, il est à ....éro ou à toi, ...ertille ?
2. ....runo part au ....urundi en octo....re ou en novem....re.
3. Tu ....eux ....oire une ....ière, un apéritif ?
4. ....ous ....oulez voir la ....ieille ....ille, c'est ....ien ça ?
5. Tu ....iens ....ientôt à Stras....ourg ?
6. ....enez ....ite, on ....a prendre le bus ....ingt-deux pour aller à ....astille.

LA FRANCE D'OUTRE-MER

→ *Livre, pages 100 et 101*

62 Exercice **26** → **Écoutez les personnes et complétez la grille**

	Où ?	Avec qui ?	A aimé ? (*oui* ou *non*)	Relevez les mots qui le montrent.
1				
2				
3				
4				

Exercice **27** → **Regardez les cartes de votre livre page 19 et redonnez à chaque DOM son nom : la Réunion, la Guadeloupe, la Martinique, la Guyane (attention, certaines cartes sont à l'envers !). Écrivez le nom de chaque capitale au bon endroit : Fort-de-France, Pointe-à-Pitre, Cayenne, Saint-Denis.**

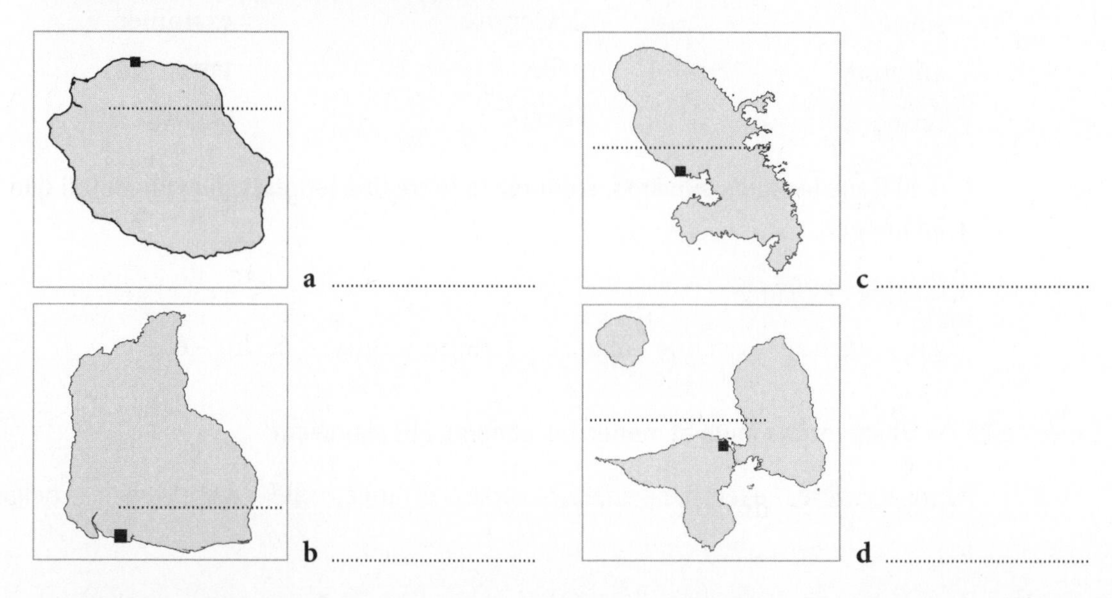

a ....

b ....

c ....

d ....

Exercice **28** → **Observez le catalogue de voyages en ligne puis répondez oralement aux questions.**

Punta Cana

Séjour clé en main

Certains explorent les forêts luxuriantes, ses vallées et les cascades des massifs montagneux…

7 nuits en formule tout compris 1 396 €

Guadeloupe

Voyage sur mesure

Plages, cocotiers, soleil et alizés : les clichés ont la vie dure, surtout lorsqu'ils sont vrais.

26 avril - 3 mai	1 061 €
26 avril - 6 mai	1 167 €

Bahamas - Nassau

Voyage sur mesure

République de corsaires au XVIIIe siècle, les Bahamas sont devenues aujourd'hui le royaume de la finance. Nassau, capitale tentaculaire et surpeuplée, ressemble à une ville américaine…

26 avril - 3 mai / 1 332 € 26 avril - 6 mai / 1 145 €

Martinique

Voyage sur mesure

La Martinique ? Un département français sous les tropiques. Ses cocotiers, son sable chaud et son ambiance caraïbe.

26 avril - 3 mai	1 054 €
26 avril - 6 mai	1 128 €

Saint-Martin

Voyage sur mesure

Une double nationalité pour un si petit territoire, voilà un drôle de paradoxe pour une île qui n'a pour seule richesse que la blancheur de ses plages et la transparence de ses eaux. Tantôt hollandaise, tantôt française, Saint-Martin est aujourd'hui avant tout internationale.

26 avril - 3 mai / 1 290 € 26 avril - 6 mai / 1 380 €

1. Retrouvez les îles qui font partie de la France d'outre-mer.
2. J'ai seulement 1 100 € pour ce voyage. Où est-ce que je peux aller ? Combien de temps je vais pouvoir rester ?
3. Je veux du calme et du silence. Quelle destination faut-il éviter ?

→ *Livre, pages 102 et 103*

Exercice 1 → **Lisez et cochez la case qui convient.**

	vrai	faux	?
1. Le document vient d'un catalogue de séjours touristiques.	☐	☐	☐
2. *Village tropical* est le nom d'une ville.	☐	☐	☐
3. Le *Village tropical* se trouve en Amérique du Sud.	☐	☐	☐
4. Les appartements proposés sont au centre de la ville de Saint-François.	☐	☐	☐
5. On peut faire la cuisine dans les appartements du *Village tropical.*	☐	☐	☐
6. Les animaux sont acceptés dans le *Village tropical.*	☐	☐	☐
7. 695 € est le prix d'un voyage pour deux personnes.	☐	☐	☐

63 Exercice 2 → **Écoutez et cochez la case qui convient.**

1. L'homme veut
☐ réserver un voyage.
☐ avoir des informations sur un voyage.

2. L'homme téléphone
☐ à une agence de voyage.
☐ à son amie, Virginie.

3. L'homme veut partir en vacances
☐ au mois d'avril.
☐ au mois de juin.
☐ au mois de juillet.

4. L'homme n'est pas heureux
☐ parce que Virginie ne répond pas à ses questions.
☐ parce qu'il ne peut pas choisir ses dates de voyage.
☐ parce qu'il n'y a pas de places pour son voyage.

5. Le voyage du 16 juin coûte
☐ 615 euros.
☐ 695 euros.
☐ 990 euros.

6. Virginie explique que
☐ le voyage n'est pas cher.
☐ beaucoup de personnes veulent aller au *Village tropical.*
☐ il y a beaucoup de places pour le voyage au *Village tropical.*

Exercice 3 → **Rayez le mot qui ne convient pas.**

1. (Tout / Tous) les clients adorent l'hôtel du Mail.
2. Il y a une belle vue sur (tout / toute) la plage.
3. On prend (tous / toutes) nos petits-déjeuners à l'hôtel.
4. Tu veux voir (toute / toutes) mes photos ?
5. On a visité (tout / tous) le centre-ville.
6. On est restés à l'hôtel (tout / toute) la journée.

Exercice 4 → **Complétez les phrases avec *tout, tous, toute* ou *toutes*.**

1. Nous avons fait .... les activités.
2. Elle téléphone à sa mère .... les jours.
3. J'ai été malade pendant .... le voyage.
4. Il va être à Berlin .... la semaine.

5. Elle a invité .... ses amis.
6. Je n'ai pas lu .... le livre.
7. Il faut répondre à .... les questions.
8. Je ne connais pas .... la ville.

Décrire un lieu

→ *Livre, page 104*

(64) Exercice **5** → **Écoutez le dialogue et écrivez un texte qui présente la ville.**

Fougères ....

....

....

....

....

....

La place de l'adjectif

Exercice **6** → **Remettez les éléments dans l'ordre pour former des phrases correctes.**

1. anglais / beaucoup / les romans / j'aime / .

....

2. à Anaïs / cadeau / joli / offrir / je voudrais / un / .

....

3. au / dernier / ils habitent / étage / .

....

4. autres / deux / donner / je vais / exercices / vous / .

....

5. c'est / personne / sympathique / une / .

....

6. des / merveilleux / on a vu / paysages / .

....

7. agréable / est / Fougères / je pense que / une / ville / .

....

8. chemise / la / rouge / qu'est-ce que / tu penses de / ?

....

Exercice 7 → **Mettez l'adjectif à la place qui convient et ajoutez *des* ou *de (d')*.**

1. On a rencontré (japonais) (touristes).

....

2. Il y a (belles) (plages) au Mexique.

....

3. À l'est de la ville, il y a (modernes) (immeubles).

....

4. On va acheter (nouveaux) (ordinateurs).

....

5. Est-ce que tu connais (sympathiques) (restaurants) à Paris ?

....

6. Le mois dernier, j'ai eu (gros) (problèmes).

....

7. Est-ce que vous avez (autres) (livres) ?

....

8. Oh, si, on a vu (intéressantes) (choses).

....

Situer (1)

→ *Livre, page 105*

Exercice 8 → **Associez les éléments.**

On va manger dans un restaurant	•	•	sud de la ville.
L'hôtel est au	•	•	300 km de Paris.
Dijon est à	•	•	au bord de la mer.
La cathédrale est	•	•	située dans le centre-ville.

Exercice 9 → **Regardez la carte au début de votre livre et la carte page 100, puis situez ces régions de France.**

Exemple : *La Bretagne est à l'ouest de la France.*

1. La Lorraine : ....
2. L'Aquitaine : ....
3. Les Pays de la Loire : ....
4. L'Auvergne : ....
5. Le Nord-Pas-de-Calais : ....
6. La Franche-Comté : ....
7. La Guyane française : ....
8. La Réunion : ....

Se trouver – trouver

Exercice **10** → **Récrivez les phrases en remplaçant les mots soulignés par *on trouve* ou *se trouver* à la forme qui convient.**

1. Excusez-moi, où <u>est</u> la bibliothèque, s'il vous plaît ?

2. Pour faire des cadeaux, <u>il y a</u> de jolis souvenirs dans la boutique du musée.

3. La Guadeloupe <u>est située</u> au nord de l'Amérique du Sud.

4. S'il vous plaît, où <u>sont</u> les toilettes ?

5. <u>Il y a</u> beaucoup d'exercices dans ce livre.

Exercice **11** → **Utilisez les documents et les informations pour écrire un texte de présentation de la ville de Saint-Tropez.**

Saint-Tropez

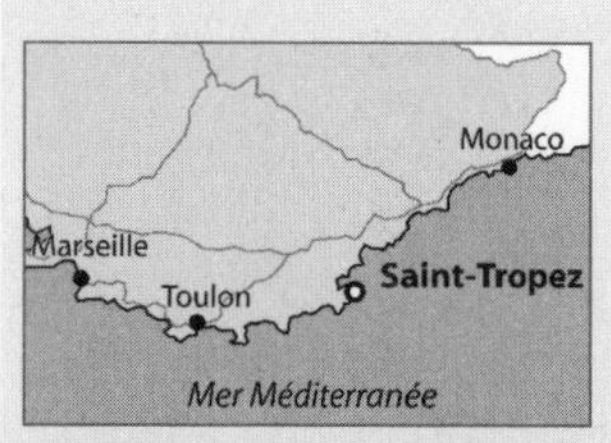

- 5 600 habitants
- Au sud de la France
- Côte d'Azur
- Vieux port ; bateaux de luxe
- Six plages
- Paris : 700 km – Marseille : 100 km – Monaco et Italie : 90 km
- Centre-ville : vieux immeubles, boutiques et restaurants
- Autour du centre-ville : beaucoup de maisons très belles et très chères
- Beaucoup de touristes et de personnes célèbres (artistes, acteurs, chanteurs...)
- Dix hôtels quatre étoiles. Onze hôtels trois étoiles.

Situer (2)

→ *Livre, pages 106 et 107*

Exercice **12** → **Complétez avec *ce, cet, cette* ou *ces*.**

1. Tu es déjà venu dans .... restaurant ? C'est bien ?
2. Elle habite à Montluçon. Tu connais .... ville ?
3. Il n'y a pas de place dans .... hôtel. On va où ?
4. C'est quoi, ... cinquante euros sur la table ?
5. Vous ne pouvez pas rester ici. .... plage est privée.
6. Non, non, je ne connais pas .... personnes.
7. Excusez-moi, ... place est libre ?
8. Ah, j'adore .... pays !

Exercice **13** → **Écrivez les phrases au singulier.**

Exemple : *Qui sont ces personnes à l'entrée ? → Qui est cette personne à l'entrée ?*

1. Attends ! Je n'ai pas vu ces photos ! → ....
2. C'est pour qui, ces cadeaux ? → ....
3. Quand est-ce qu'on va changer ces ordinateurs ? → ....
....
4. Ces étudiants sont excellents ! → ....
5. Non, je n'ai pas fait ces exercices. → ....
6. Où tu as trouvé ces journaux norvégiens ? → ....
....
7. Ces prix sont pour le mois de mai. C'est plus cher en juin. → ....
....
8. On ne prend pas ces cartes bancaires. → ....
....

Y, pronom complément

Exercice **14** → **Remplacez l'élément souligné par le pronom *y*.**

1. — Gabrielle va à Lyon cette semaine, non ?
— Non, pas cette semaine ! Elle est allée à Lyon la semaine dernière.
....

2. — Quand est-ce que tu reviens du Sénégal ?
— Euh, attends, je vais être au Sénégal du 13 au 25 janvier.
....

3. — Je cherche un cadeau, tu as une idée ?
   — Va au magasin Hémisphère sud. On trouve beaucoup d'idées <u>dans le magasin Hémisphère sud</u>.

   ....

4. — Vous allez rester au Canada ?
   — Oh, oui, on est bien <u>au Canada</u>, on a un bon travail, une belle maison…

   ....

5. — On peut aller manger au restaurant *Bleu marine* !
   — Oh, non, on est déjà allé <u>au restaurant *Bleu marine*</u>, je ne l'aime pas beaucoup.

   ....

6. — Vous aimez ce livre de français ?
   — Ah, oui, j'ai trouvé de très bons exercices <u>dans ce livre de français</u>.

   ....

7. — Léa connaît la Pologne, non ?
   — Non, c'est la première fois qu'elle va <u>en Pologne</u>.

   ....

Exercice **15 → Complétez les phrases avec *le, la, elle, lui, leur* ou *y*. Faites les modifications nécessaires.**

1. — Tes parents sont d'accord ?
   — Je ne .... ai pas demandé.
2. — Mais, vous n'allez pas à l'école aujourd'hui ?
   — Non, on ne .... va pas, on est en vacances !
3. — Madame Fourrier n'est pas là ? J'ai besoin de cette information aujourd'hui !
   — Je vais .... téléphoner.
4. — Tu vas être avec Julie en Espagne, non ?
   — Non, je ne veux pas .... aller avec .... !
5. — Vous pensez que monsieur Métayer va accepter ?
   — Oui, oui, je .... connais bien. Ça va .... plaire.
6. — Tu as rencontré monsieur Foucault à Lausanne ?
   — Ah, non, non, je ne .... ai pas vu à Lausanne.
7. — On n'a pas de réponse des responsables de l'agence ?
   — Non. Je vais .... envoyer un message.

En Belgique, à Bruxelles

Exercice **16 → Ajoutez *le, la, les* ou *l'* devant les noms de pays.**

1. .... Albanie
2. .... Belgique
3. .... Chine
4. .... Congo
5. .... Danemark
6. .... Égypte
7. .... États-Unis d'Amérique
8. .... Grèce
9. .... Pays-Bas
10. .... Japon
11. .... Koweit
12. .... Laos
13. .... Mauritanie
14. .... Mexique
15. .... Philippines
16. .... Russie
17. .... Uruguay
18. .... Vietnam

Exercice **17 → Complétez les phrases.**

1. — Une collègue pakistanaise va venir me voir le mois prochain.
— Elle vient .... Pakistan ?
— Non, elle travaille .... Allemagne, ... Berlin.

2. — Tu as fait quelques voyages ?
— Oui, je suis allé .... Indonésie et .... Philippines en janvier, ... Brésil et .... Uruguay en février, et j'arrive .... Italie.

3. — Delphine n'est pas avec vous ?
— Non, elle est partie .... Bulgarie, pour son travail. Et son frère est .... Maroc !

4. — Tu as vu notre jolie table ? Elle vient .... Japon.
— .... Japon ? Moi, je crois qu'elle vient .... Chine.

5. — Vous venez d'où ?
— .... Belgique, ... Bruxelles.
— Vous allez où ?
— .... Chicago, ... États-Unis.

Exercice **18 → Écrivez huit phrases avec les éléments proposés.**

Catarina est née	à	Paris
Adam vient	au	Mexico
Chloé travaille	aux	Pays-Bas
Il apprend l'espagnol	en	Asie
Audrey aimerait aller	de	Portugal
Il est parti	du	Togo
Je l'ai acheté	d'	Roumanie
Tu reviens quand	des	Thaïlande
Arun habite		

1. ....
2. ....
3. ....
4. ....
5. ....
6. ....
7. ....
8. ....

Exercice **19** → **Travail par paires.**

A **Échangez vos informations avec votre partenaire B pour compléter le document touristique.**

Perpignan

Perpignan

- .... de la France.
- 120 000 habitants.
- Entre la .... et les montagnes des Pyrénées.
- À .... km : plage du Canet.
- À 90 km : station de ski de Font-Romeu.
- Sport : ...., voile, ...
- Université : .... étudiants.
- À visiter : Palais des rois de Majorque (XIIIe siècle).

  .... Saint-Jean (XIVe siècle).

B **Échangez vos informations avec votre partenaire A pour compléter le document touristique.**

Perpignan

- Sud de la France.
- .... habitants.
- Entre la mer Méditerranée et les .... des Pyrénées.
- À 10 km : .... du Canet.
- À .... km : .... de Font-Romeu.
- Sport : rugby, ..., randonnée.
- Université : 10 000 étudiants.
- À visiter : .... des rois de Majorque (XIIIe siècle).

  Cathédrale Saint-Jean (XIVe siècle).

Exprimer la fréquence : souvent, jamais...

→ *Livre, page 108*

65 Exercice **20** → **Écoutez et cochez la case qui convient.**

1. ☐ Je n'ai pas rencontré Ibrahim.
☐ J'ai rencontré Ibrahim l'année dernière.
☐ Je rencontre Ibrahim tous les mois.

2. ☐ J'ai fait un premier voyage au Sénégal en 2005.
☐ Je ne suis pas venu au Sénégal avant.
☐ Je viens au Sénégal tous les ans.

3. ☐ On n'est pas allé en Bretagne.
☐ On est allé en Bretagne avant, en 2005, 2006, 2007 et 2008.
☐ On va aller en Bretagne.

4. ☐ Je n'ai pas écrit au directeur.
☐ J'ai écrit au directeur en janvier, en mars et en avril.
☐ J'ai écrit au directeur la semaine dernière.

66 Exercice **21** → **Lisez les réponses. Écoutez et associez une réponse à chaque phrase que vous entendez.**

a. Oui, on y va souvent. On aime bien les films coréens et japonais.
b. Non, on n'est jamais allé en Asie.
c. Non, c'est la première fois que je viens manger ici.
d. Non, il voyage souvent. Vous voulez voir son assistante ?
e. Bien, non. Mais j'y suis allé cinq ou six fois.

1	2	3	4	5

Exercice **22** → **Lisez et répondez avec *souvent, encore, jamais*...**

1. Vous avez visité Bordeaux ? ....

2. Vous avez visité quels pays en Afrique ? ....

....

3. Vous aimez aller au cinéma ? ....

4. Et à l'opéra ? vous allez à l'opéra ? ....

5. Vous faites du sport ? ....

6. Vous achetez le journal le matin ? ....

Exercice **23** → **Lisez les définitions et complétez la grille de mots croisés.**

	1	2	3	4	5	6	7	8	9	10	11	12	13	14	15	16	17	18	19
I						■							■	■					
II		■	■	■		■		■		■	■	■		■		■		■	
III								■		■						■		■	
IV		■		■		■					■	■	M	A	I	R	E	■	
V		■		■		■		■		■		A					■	■	
VI	T	R	E	S	S	E	■	■		■	■	R			■		■	■	
VII		■		■	■	■		■	■			N		■					
VIII	■	■		■		■		■	■	■		■		■	A	T	E	L	E
IX						■											■	■	■
X	■	■		■				■	■		■	■		■					
XI		■	■								■	O		■		■	■	■	
XII		■	■	■		■		■		■	■	R							
XIII						■		■				E		■	■	■		■	■
XIV		■		■	■		■	■		■	■	I	■			■			
XV					■							L				■			
XVI	■	■		■	■		■	■		■	■	L		■		■			
XVII							■				■	E							■
XVIII		■		■		■	■	■	■		■	■		■		■	■		
XIX		■	■													■			

Horizontalement

I. Bonjour. – Fruit. – Groupe d'arbres.

III. Dans la maison, pour dormir. – Pour écrire.

IV. Pour accompagner. – Chef de la ville.

V. Qui va vite.

VI. Dans les cheveux. – Animal gris ou blanc.

VII. Pour traverser la rivière. – Pas grand.

VIII. Singe d'Amérique du Sud.

IX. Jeune femme. – Très beau.

X. Avec le prénom – Pas fausse.

XI. Laisses passer quelques minutes – Pour donner le choix.

XII. Empêche quelqu'un de dormir.

XIII. Aime. – Certaines.

XIV. À lui. – Pars.

XV. Boisson. – Recevoir à la maison. – Nombre d'années.

XVI. « Lire » au passé. – Beau.

XVII. Abandonne. – À moi. – Plus ou moins.

XVIII. Cela.

XIX. Date qui revient chaque année. – Monnaie japonaise.

Verticalement

1. Entreprise. – Couleur. – Pour poser une question sur une personne.
3. Qui fait plaisir. – Donner.
5. Meubles pour la cuisine ou le jardin. – Va à la maison. – À toi.
6. Abréviation pour « Office de tourisme » – Station pour les trains.
7. Grande mer. – Un mot utile pour demander le nom d'une personne.
9. Pour payer. – Parle.
10. À nous. – Au-dessus.
11. Pour accepter.
12. Acide ribonucléique. – Pour entendre.
13. Gentils. – Jour.
14. Boisson. – Oui.
15. Pas chaud. – Pas riche. – Vient.
16. Dire une deuxième fois.
17. Couleur. – Toi. – Pour se laver les mains.
18. Lui. – Bureau.
19. Personne qui visite. – « Être » au passé. – Pour faire la cuisine. – Année.

Des sons et des lettres

→ *Livre, page 109*

Aigu, grave ou circonflexe ?

(67) Exercice **24** → **Écoutez et cochez la case qui convient.**

	1	2	3	4	5	6	7	8
[e] (*d**é**part*)								
[ɛ] (*ch**è**re* ou *ê**tre*)								

(68) Exercice **25** → **Écoutez et accentuez les mots.**

1. riviere **2.** feter **3.** apres **4.** pere **5.** numero **6.** fenetre **7.** enchante
8. genial **9.** repete **10.** prenom

[ø] *ou* [o] *?*

(69) Exercice **26** → **Écoutez et complétez les mots avec « o » ou « eu ».**

1. Il a eu un j....li vél.... bl.... .
2. C'est ....riginal mais tr....p danger....x.
3. Je vous pr....p....se j....di pr....chain.
4. Elle p....ssède des ph....t....s merveill....ses.
5. Le studi.... est au numér.... cent d....x.

L'UNION EUROPÉENNE

→ *Livre, pages 110 et 111*

Auteur	Discussion : l'Union européenne
Marianne	Posté le 3 mai 2008 à 10:52 **Le grand appartement européen.** En 2005, j'ai passé une année universitaire à Madrid. Je trouve ça génial. J'y ai habité dans un appartement avec quatre autres étudiants : un Allemand, une Italienne et deux Espagnols. L'Union européenne, pour moi, c'est ça : un grand appartement avec plusieurs nationalités. J'ai fini mes études en France et cette année je travaille à Prague. Je ne sais pas où je vais être l'année prochaine : à Lisbonne ou à Stockholm ?
Guillaume et Béatrice	Posté le 10 mai 2008 à 21:32 **L'Europe sans frontières** Nous sommes à Thessalonique, en Grèce. Nous sommes partis de France il y a deux mois pour faire 25 000 kilomètres à vélo à travers l'Europe. On est heureux de passer de pays en pays, librement, sans présenter son passeport, et de pouvoir rencontrer d'autres personnes avec d'autres vies et d'autres cultures.
Bettina	Posté le 30 mai 2008 à 6:05 **Je suis allemande mais je n'habite pas en Allemagne** En 1986, mes parents ont acheté une maison dans un village en France, en Bourgogne. Année après année, on est venus pendant les vacances. Puis mes parents ont décidé de quitter l'Allemagne et de vivre en Bourgogne. Aujourd'hui, j'ai encore un frère en Allemagne, mais maintenant avec l'euro, le voyage entre les deux pays est devenu très facile et rapide. Je n'ai pas l'impression d'avoir changé de pays mais plutôt l'impression d'avoir changé de région.
Fabien	Posté le 3 juin 2008 à 16:56 **« Chez Dédé » à Cracovie.** Depuis 1998, j'ai un bar-restaurant à Cracovie. Quand on rentre dans mon restaurant, on se sent à Paris : la décoration est française, les menus sont français, l'ambiance est française, le chef est français mais les serveurs sont turcs, tchèques, espagnols ou danois. Et les clients sont surtout polonais. C'est ça l'Europe, pour moi.

Exercice **27 → Lisez et répondez.**

Pourquoi est-ce que ces personnes aiment l'Union européenne ? Qu'est-ce qu'elles aiment faire dans l'Union européenne ?

Marianne : ....

....

....

Guillaume et Béatrice : ....

....

....

Bettina : ....

....

....

Fabien : ....

....

....

Exercice **28 → Lisez et cochez la case qui convient.**

	vrai	faux	?
1. Toutes ces personnes aiment l'Union européenne.	☐	☐	☐
2. Marianne a fait ses études dans trois pays de l'UE.	☐	☐	☐
3. Pendant toutes ses études, Marianne a habité avec plusieurs étudiants de différents pays de l'UE.	☐	☐	☐
4. Pour Marianne, l'UE est comme un appartement.	☐	☐	☐
5. Guillaume et Béatrice voyagent dans l'UE pour rencontrer des personnes.	☐	☐	☐
6. Guillaume et Béatrice aiment la liberté qu'on trouve dans l'UE.	☐	☐	☐
7. Bettina et son frère habitent en France.	☐	☐	☐
8. Pour Bettina, la France et l'Allemagne sont comme des régions.	☐	☐	☐
9. Fabien est français.	☐	☐	☐
10. Les parents de Fabien habitent en Pologne.	☐	☐	☐
11. Fabien aime le mélange des nationalités dans l'UE.	☐	☐	☐

→ *Livre, pages 118 et 119*

Exercice **1** → (70) **a) Regardez ces photos du Burkina Faso. Écoutez et associez chaque commentaire à une photo.**

a ....

b ....

c ....

d ....

e ....

1	2	3	4	5

→ **b) Parmi ces propositions, choisissez un titre pour chaque photo.**

les taxis de brousse – jour de marché – les mosquées – vêtements et couleurs – la calebasse – troupeaux de vaches – le sorgho – l'agriculture – l'habitat traditionnel

Exercice **2** → **Rayez l'élément qui ne convient pas.**

1. S'il te plaît, achète un (kilo / sachet) de pommes !
2. Qui veut une (boîte / part) de ce bon gâteau au chocolat ?
3. Pour l'anniversaire de Nicolas, je vais apporter une (tasse / bouteille) de champagne rosé.
4. Non merci, j'ai déjà bu deux (bouteilles / tasses) de thé ce matin.
5. Ouh ! Il est fort, ton café ; donne-moi un (morceau / paquet) de sucre, s'il te plaît.
6. Je voudrais un (litre / paquet) d'huile d'olives d'Espagne, s'il vous plaît.

Exercice **3** → **Associez un élément de chaque ensemble et complétez les pointillés.**

un kilo
une tasse
un verre
un sachet
une boîte
une bouteille
un morceau
une part

le café
le vin
l'eau
le sucre
les chocolats
les pommes de terre
la tarte
le thé

un verre de vin ....

....

....

(71) Exercice 4 → **Écoutez et choisissez la réponse qui convient.**

1. La scène se passe
☐ dans un supermarché.
☐ sur un marché.
☐ dans un magasin.

2. Les melons sont vendus
☐ par trois.
☐ à la pièce.
☐ au kilo.

3. Les fraises coûtent
☐ 3 € la barquette de 300 grammes.
☐ 3 € la barquette de 500 grammes.
☐ 4 € la barquette de 500 grammes.

4. L'homme
☐ a de belles cerises d'Espagne.
☐ n'a pas de cerises.
☐ a des cerises de France.

5. L'homme propose
☐ deux salades pour 3 €.
☐ deux salades pour 2 €.
☐ trois salades pour 2 €.

6. La femme achète
☐ des melons, des fraises, des cerises et des salades.
☐ des melons, des fraises, des cerises et des prunes.
☐ des melons, des cerises, des salades et des abricots.

7. La femme va payer
☐ 22,20 €.
☐ 24,20 €.
☐ 27,20 €.

(72) Exercice 5 → **Écoutez de nouveau cet extrait du dialogue et complétez.**

— Euh… Peut-être des melons. C'est combien .... kilo ?

— Ils sont .... pièce, les melons. Trois euros .... pièce ou dix euros .... quatre melons.

— Bon, je vais prendre quatre petits, alors.

— D'accord. Et vous avez vu nos belles fraises ? Seulement trois euros .... barquette de 500 ....

— Ah oui, elles sont belles. Mettez-moi deux barquettes, s'il vous plaît.

— Voilà… Et avec ça ?

— Bah… euh, des cerises ? Vous en avez ?

— Oui, regardez, elles sont de la région. 4,20 € .... kilo.

— Je vais en prendre un kilo, s'il vous plaît. Et puis, je vais prendre une salade… Oh ! mais elles sont petites !

— Oui, c'est vrai. Je vous les fais à .... euros ...., ça va ?

Exercice **6** → **Associez un élément de chaque ensemble.**

1. un verre	**5.** une salle	**a.** de français	**e.** de cinéma
2. une station	**6.** un ticket	**b.** de deux euros	**f.** de métro
3. un cours	**7.** un magasin	**c.** de train	**g.** de taxi
4. un billet	**8.** une pièce	**d.** de lait	**h.** de fleurs

1	2	3	4	5	6	7	8

Raconter

→ *Livre, pages 120 et 121*

Je m'habille, nous nous couchons…

Exercice **7** → **Écrivez les verbes entre parenthèses au présent.**

1. Allez, il est 7 heures, tu (se réveiller) ...., ma chérie ?
2. Il (s'ennuyer) .... toujours quand on voyage en voiture.
3. Je (se raser) .... tous les matins.
4. J'arrive, papa, je (s'habiller) .... !
5. Nous (s'installer) .... ici pour cette nuit et demain, on change.
6. Elle (s'inquiéter) .... pour son fils, c'est ça ?
7. On (s'arrêter) .... cinq minutes au café, j'ai très soif !
8. Tu (se lever) .... tard, le dimanche ?

Exercice **8** → **Mettez ces phrases à la forme négative.**

a)
1. Levez-vous tôt demain matin ! → ....
2. Arrête-toi ici, s'il te plaît ! → ....
3. Habillons-nous en noir. → ....
4. Couche-toi ! → ....

b)
1. Tu t'es coiffée ce matin ? → ....
2. Nous nous sommes inquiétés pour lui. → ....
....
3. Je me suis assise là. → ....
4. Il s'est ennuyé pendant ses vacances. → ....

Exercice **9** → **Associez une réponse (*a* à *f*) à chaque phrase (1 à 6).**

1. J'ai trop de travail, je suis vraiment fatiguée.

2. On part tout de suite ? Pas le temps de prendre une douche ?

3. Ici ou je continue un peu plus loin ?

4. J'en ai un peu marre de conduire sur cette route…

5. Oh ! mais ce n'est pas possible, tout ce monde !

6. Ma mère est encore malade… et puis, elle n'est plus très jeune…

a. Arrête-toi ici, c'est bien.

b. Non, coiffe-toi un peu, c'est tout.

c. Couche-toi tôt, ça va te faire du bien.

d. Ne vous énervez pas, on est vendredi et il est 17 heures, c'est pour ça…

e. Ne t'inquiète pas, ça va aller mieux.

f. Tu veux t'arrêter un peu ? Allons prendre un café !

1	2	3	4	5	6

Exercice **10** → **Remettez les éléments dans l'ordre pour former des phrases correctes.**

1. Vous / là / vous / asseoir / voulez / ?

....

2. On / de / avec / s'amuse / nos / Lyon / beaucoup / amis / .

....

3. Pourquoi / te / tu / coucher / vas / est-ce que / ?

....

4. Habille / et / heures / vite, / il / toi / est / sept / – / demie / !

....

5. Non, / ne / es / quand / m'ennuie / tu / là / je / jamais / .

....

6. Dépêchons / être / retard / on / – / va / en / nous, /.

....

7. Julie / se / où / ses / rappelle / pas / clés / ne / elle / mis / a / .

....

8. Ne / pas / s' / inquiétez / pas, / on / ennuyer / va / ne / vous / .

....

Exercice **11 → Travail par paires.**

A **Il vous manque des informations sur la journée de Lucie Jacquot. Posez des questions à votre partenaire et retrouvez l'ordre des actions de Lucie Jacquot.**

a

b

c

d

Ordre des actions : ....

B **Il vous manque des informations sur la journée de Lucie Jacquot. Posez des questions à votre partenaire et retrouvez l'ordre des actions de Lucie Jacquot.**

1

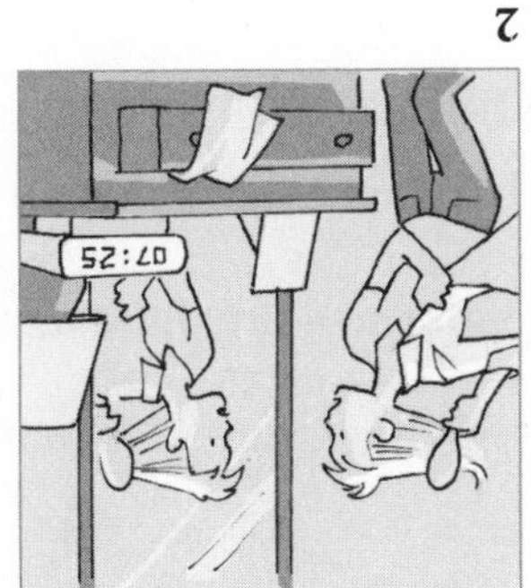

2

3

4

Ordre des actions : ....

D'abord, puis…

73 Exercice **12 → Écoutez et remettez les dessins dans l'ordre.**

a

b

c

d

e

Ordre : ....

Exercice **13** → **Racontez ce que vous avez fait ce matin avant de quitter la maison.**

....

....

....

Exprimer l'intensité et la quantité

→ *Livre, pages 122 et 123*

Exercice **14** → **Rayez les mots qui ne conviennent pas.**

1. Je ne suis pas (assez / peu / un peu) riche pour acheter ces jolies chaussures.
2. Je ne peux pas faire de sport avec toi, tu cours (peu / trop / si) vite !
3. Si, ça va, ne t'inquiète pas, je suis juste (peu / un peu / trop) fatigué.
4. Elle a de bons résultats, mais elle travaille (très / beaucoup / peu) lentement.
5. En général, il mange (si / beaucoup / peu), mais ce soir, il veut seulement une soupe…
6. Je n'ai pas aimé le concert parce que les musiciens jouaient (trop / très / assez) fort.
7. Le film est (tellement / trop / très) drôle que je vais retourner le voir dimanche.

(74) Exercice **15** → **Écoutez le dialogue entre Juliette et Bruno et répondez.**

1. De quoi est-ce que Bruno et Juliette parlent ?

....

2. Qu'est-ce que Bruno propose ? Pourquoi ?

....

3. Juliette accepte ? Pourquoi ?

....

4. Qu'est-ce qu'elle voudrait ?

....

5. Qu'en pense Bruno ? Pourquoi ?

....

6. Est-ce que la discussion est calme ? Pourquoi ?

....

7. Que pensez-vous des deux personnes ?

....

8. Finalement, qu'est-ce qu'ils décident ?

....

Exercice **16** → **Écrivez une phrase avec chaque indication donnée.**

un peu + adjectif → ....

trop + adverbe → ....

verbe + *beaucoup* → ....

Tu en veux, j'en ai deux

(75) Exercice **17** → **Écoutez et trouvez ce que remplace « en » dans chaque dialogue.**

dialogue 1 : ☐ la voiture ☐ une voiture ☐ ma voiture

dialogue 2 : ☐ le café ☐ des cafés ☐ l'eau et le café

dialogue 3 : ☐ de l'argent ☐ un peu d'argent ☐ trop d'argent

dialogue 4 : ☐ du travail ☐ beaucoup de travail ☐ trop de travail

dialogue 5 : ☐ du sel ☐ pas de sel ☐ le sel

Exercice **18** → **Remplacez les mots soulignés.**

Exemple : — *Elle a des amis à Poitiers ?*

— *Oui, elle a un ami ; il travaille avec elle.* → *Oui, elle en a un ; il travaille avec elle.*

1. — Vous avez du pain aux noix ?

— Ah ! non, je n'ai plus de pain aux noix. → ....

2. — Tu fumes beaucoup, non ? Combien de cigarettes par jour ?

— Je fume cinq cigarettes par jour ; c'est trop, oui, je sais... → ....

....

3. — Tu veux du sucre dans ton thé ?

— Oui, je vais prendre un morceau de sucre. → ....

4. — Elle a des enfants, ta sœur Hélène ?

— Oui, elle a deux enfants. → ....

5. — Vous prenez du vin ?

— Non merci, je ne bois pas de vin. → ....

Exercice **19** → **Imaginez une question pour chaque réponse proposée.**

Exemple : — *Tu connais le dernier CD de Rose ?*

— *Non, je ne l'ai pas écouté.*

1. — .... ?

— Oui, elle lui en a envoyé un hier.

2. — .... ?

— Non, je ne l'ai pas très bien compris.

3. — .... ?

— Oui, oui, j'en ai acheté quatre.

4. — .... ?

— En général, j'en prends un peu avec le café, c'est tout.

5. — .... ?

— Oui, je suis allé le voir hier, il va très bien.

6. — .... ?

— Ah ! Désolée, je n'en ai plus.

Exercice **20**→ **Cochez la (les) réponse(s) qui convient (conviennent).**

1. Tu connais beaucoup de personnes ici ?

☐ Non, j'en connais trois.

☐ Oui, je les connais.

☐ Oui, j'en connais beaucoup.

2. Vous buvez du lait ?

☐ Non, je ne le bois pas.

☐ Oui, j'en bois.

☐ Oui, je le bois.

3. Tu as combien de collègues ?

☐ J'en ai trente-cinq.

☐ J'en ai peu.

☐ Oui, j'en ai beaucoup.

4. Vous prenez le plat du jour ?

☐ Oui, j'en prends.

☐ Oui, je vais le prendre.

☐ Non, je vais prendre un poulet avec des frites.

5. Il y a un cinéma près de chez toi ?

☐ Oui, il y en a deux !

☐ Oui, je l'ai.

☐ Non, il n'y en a pas.

Interroger

→ *Livre, page 124*

Exercice **21** → **Transformez les questions comme dans les exemples.**

Exemple : *Il part à quelle heure, le matin ?* → *À quelle heure part-il le matin ?*
Est-ce qu'ils sont partis ce matin ? → *Sont-ils partis ce matin ?*

1. Il habite à Angers ou au Mans ? → ....

2. Pourquoi est-ce que tu t'énerves ? → ....

3. Vous avez vu mes nouvelles chaussures ? → ....

....

4. Tu pourrais m'aider, s'il te plaît ? → ....

5. Tu as invité Xavier et Mélanie à ton anniversaire ? → ....

....

6. Elle a fait tous les exercices ? → ....

7. Vous aimez la cuisine chinoise ? → ....

8. Tu vas prendre le bus pour aller chez Laura ? → ....

....

Exercice **22** → **Pour chaque question, écrivez deux autres formes possibles puis soulignez la forme soutenue.**

Exemple : *C'est ton frère ?* → *Est-ce ton frère ?* ; *Est-ce que c'est ton frère ?*

1. On va y aller comment ?

....

2. Est-ce que tu veux du chocolat ?

....

3. Vous vous êtes bien reposés ?

....

Exercice **23** → **Remettez les éléments dans le bon ordre pour construire des questions en français soutenu.**

1. Quand / – / de / vous / ont / ce / problème / parlé / ils / ?

....

2. As / Louis / chose / demandé / – / quelque / tu / à / ?

....

3. À / ce / heure / es / tu / levé / quelle / matin / – / t' / ?

....

4. Comment / – / Barcelone / t / – / aller / va / à / on / ?

....

5. Pourquoi / parti / – / vous / soir / êtes / si / hier / tôt / ?

....

6. S' / – / il / Pierre / – / Jean-Pierre / ou / t / appelle / ?

....

Exercice **24** → **Écrivez des questions (forme soutenue) qui peuvent correspondre à ces réponses.**

1. — .... ?

— Parce que je suis un peu triste.

2. — .... ?

— Mariangeles et elle vient d'Argentine.

3. — .... ?

— Il habite à Pau, dans les Pyrénées.

4. — .... ?

— Ça va très bien. Et vous ?

5. — .... ?

— Oui, elle aime le sport et elle aime aussi beaucoup lire.

6. — .... ?

— Oui, j'ai un frère et deux sœurs. Et toi ?

Des sons et des lettres

→ *Livre, page 125*

[ɛ] *(comme dans fait) et* [ɛ̃] *(comme dans fin)*

Exercice **25** → **(76) a) Écoutez et écrivez les mots qui manquent.**

1. Vendredi, j'ai vu ton .... au marché.
2. Pauvre Marie, elle a eu beaucoup de .... de devoir partir.
3. S'il vous ...., pouvez-vous fermer un peu la .... ?
4. Demain, je .... visiter la nouvelle .... de Luc.
5. .... non, ... Anne, il n'y a pas de .... !

→ **b) Dans les mots que vous avez écrits, soulignez tous les sons [ɛ].**

Exercice **26** → **(77) a) Écoutez et écrivez les mots qui manquent.**

1. .... peu de ...., vous avez .... ?
2. C'est promis, je ....
3. On a reçu une .... pour une exposition de ....
4. .... personnes sont .... par le voyage en ....
5. J'ai un .... et je sais que ça ne va pas être ....

→ **b) Dans les mots que vous avez écrits, soulignez tous les sons [ɛ̃].**

(78) Exercice **27** → **Écoutez et choisissez [ɛ] ou [ɛ̃].**

	1	2	3	4	5	6	7	8
[ɛ]								
[ɛ̃]								

→ *Livre, pages 128 et 129*

Exercice **1** → **À quelle partie du corps peut correspondre chaque mot ou groupe de mots ci-dessous ? Complétez comme dans l'exemple.**

Exemple : *couleur noisette* → *les yeux*

1. rouge et pulpeuse : ....

2. longues et fines : ....

3. chargé de bracelets : ....

4. pointu : ....

5. d'un bleu vif : ....

Exercice **2** → **Faites une phrase avec chaque mot.**

se ressembler : ....

naturelle : ....

vêtements : ....

yeux : ....

Décrire quelqu'un

→ *Livre, pages 130 et 131*

Exercice **3** → **Associez les phrases de gauche aux phrases de droite de sens proche.**

1. Elle ne voit pas bien.
2. Elle aime la discrétion.
3. Elle a 92 ans.
4. Elle adore les vêtements confortables.
5. Elle n'est vraiment pas grosse.
6. Elle ne rit jamais.

a. Elle se maquille très peu.
b. Elle porte des baskets.
c. Elle est triste.
d. Elle est mince.
e. Elle porte des lunettes.
f. Elle est vieille.

1	2	3	4	5	6

79 Exercice 4 → **Regardez les dessins et écoutez les descriptions. Écrivez sous chaque dessin le prénom de la personne qui correspond : Clémence ou Sophie.**

a .... b ....

Exercice 5 → **Lisez ces portraits et écrivez des descriptions contraires.**

1. Elle est jeune et assez mince. Elle a un grand nez et des yeux noirs.

....

2. Il est grand et mince, et il a l'air triste.

....

3. Elle est blonde aux cheveux courts et frisés. Elle ne porte rien sur la tête.

....

4. Il est brun aux yeux verts et il a l'air drôle.

....

Exercice 6 → **a) Lisez ces deux extraits littéraires et cochez les cases qui conviennent.**

Renée
Je m'appelle Renée. J'ai cinquante-quatre ans. Depuis 27 ans, je suis la concierge du 7 rue de Grenelle, un bel hôtel particulier avec cour et jardins intérieurs, scindé en huit appartements de grand luxe, tous habités, tous gigantesques. Je suis veuve, petite, laide, grassouillette [...]. Je vis seule avec mon chat [...].

Paloma
Moi, j'ai douze ans, j'habite au 7 rue de Grenelle dans un appartement de riches. Mes parents sont riches, ma famille est riche et ma sœur et moi sommes par conséquent virtuellement riches. Mon père est député après avoir été ministre et il finira sans doute au perchoir, à vider la cave de l'hôtel de Lassay. Ma mère... Eh bien ma mère n'est pas exactement une lumière mais elle est éduquée. Elle a un doctorat de lettres.

Muriel Barbery, *L'Élégance du hérisson*, 2006.

	vrai	faux	?
1. Renée est assez jolie.	☐	☐	☐
2. Renée habite dans un appartement de luxe.	☐	☐	☐
3. Paloma est une enfant.	☐	☐	☐
4. Paloma a un gros chat.	☐	☐	☐
5. Le père de Paloma est ministre.	☐	☐	☐
6. Les parents de Paloma sont divorcés.	☐	☐	☐
7. Renée et Paloma habitent dans le même immeuble.	☐	☐	☐

→ **b) Complétez ce texte avec les mots de la liste.**

grande – études – grosse – jeune – immeuble – mari – chat –
intelligente – riche – ministre – habite – argent

Renée .... à Paris et elle s'occupe de l' .... qui se trouve au 7 de la rue de Grenelle. Elle dit qu'elle est un peu .... et qu'elle n'est pas .... Elle n'a pas de .... et elle vit avec son .... Paloma est une .... fille de 12 ans. Ses parents ont beaucoup d' .... et elle pense qu'un jour elle sera .... aussi. Son père a été .... puis député. Elle dit que sa mère n'est pas très .... mais qu'elle a fait de bonnes ....

Comparer

Exercice 7 → **Complétez les dialogues.**

1. — Je trouve que Séverine est très mignonne, elle est petite et a de petits yeux bleus .... sa sœur Pascale.

— Oui, c'est vrai. Je trouve aussi que Pascale et Séverine .... assez.

2. — C'est ton frère ? c'est vrai ? Vous ne .... pas du tout !

— Pas beaucoup mais un peu. Regarde bien, on a le .... nez.

3. — On voit que ce sont des sœurs jumelles. Antonia .... Yolanda, c'est incroyable !

— Je ne trouve pas : Antonia est blonde et Yolanda est rousse. Ce n'est pas .... !

— D'accord, mais elles sont .... grandes l'une que l'autre, ... grosses, elles ont les .... yeux et les .... expressions du visage.

Exercice 8 → **Lisez ces dialogues et corrigez ce qui est faux dans les réponses. Récrivez les réponses pour les rendre cohérentes avec le dialogue.**

1. — Elles sont comment, tes deux sœurs ?
— Elles sont jumelles, mes sœurs ; elles ont les mêmes yeux, les mêmes cheveux, le même sourire... Elles sont complètement différentes.

....

....

2. — Tu as la même taille que Renaldo, non ?
— Non, non, il fait 1,80 mètre et moi, seulement 1,76 mètre. Il est plus petit !

....

3. — Qu'est-ce qui est plus lourd ? Un kilo de papier ou un kilo de fruits ?
— Oh, c'est différent, c'est toujours un kilo. Oui, oui, ce n'est pas pareil.

....

4. — C'est combien le kilo de poires, s'il vous plaît ?
— 3,10 € le kilo.
— Et les pommes ?
— 3,10 €, c'est différent.

....

5. — Stéphanie ne ressemble pas du tout à sa mère ?
— Non, c'est vrai. Stéphanie est comme sa mère : plus petite, un peu plus mince et elle porte des lunettes.

....

Exercice 9 → **Écrivez un minidialogue avec chaque expression.**

se ressembler	**ce n'est pas pareil**
....	....
....	....
....	....
....	....

Exercice 10 → **Comparez-vous avec votre mère ou votre père. Écrivez un petit texte.**

....

....

....

....

....

Exprimer l'accord et le désaccord

→ *Livre, pages 132 et 133*

80 Exercice **11** → **Écoutez le dialogue entre Fabio et Nicolas. Cochez les cases qui conviennent.**

	accord	désaccord
1. Elle avait raison.	☐	☐
2. Tu plaisantes !	☐	☐
3. C'est vrai.	☐	☐
4. C'est nul.	☐	☐
5. Mais pas du tout !	☐	☐
6. Pas de problème.	☐	☐
7. Absolument pas.	☐	☐
8. Bonne idée.	☐	☐

Exercice **12** → **Choisissez un dessin et écrivez un dialogue.**

a

b

....

....

....

....

....

Exercice **13** → **Écrivez un minidialogue avec chaque phrase.**

Je ne suis pas d'accord !	**Oui, c'est une bonne idée !**
....	....
....	....
....	....
....	....

Exercice **14** → **Travail par paires.**

A **Écrivez d'abord votre réponse (colonne 1), puis demandez à votre partenaire s'il est d'accord avec vous (cochez la case qui convient dans la colonne 2).**

Qu'est-ce que vous pensez de… ?	colonne 1	colonne 2	
		Votre partenaire	
	Votre avis	est d'accord	n'est pas d'accord
Suivre la mode ?	*C'est nul !*	×	
Les maisons écologiques ?	....		
Les bicyclettes dans les villes ?	....		
Les voitures de sport ?	....		
Le bruit dans les villes ?	....		

B **Écrivez d'abord votre réponse (colonne 1), puis demandez à votre partenaire s'il est d'accord avec vous (cochez la case qui convient dans la colonne 2).**

Qu'est-ce que vous pensez de… ?	colonne 1	colonne 2	
		Votre partenaire	
	Votre avis	est d'accord	n'est pas d'accord
Suivre la mode ?	*C'est nul !*	×	
Les matchs de football à la télévision ?	....		
Les voyages en grands groupes ?	....		
Le cirque ?	....		
Le livre *Latitudes* ?	....		

Se situer dans le temps

L'imparfait

(81) Exercice **15** → **a) Écoutez et dites à quel temps est chaque verbe du tableau. Cochez les cases qui conviennent.**

	présent	impératif	passé composé	imparfait
dialogue 1				
arriver				
être				
vouloir				

	présent	impératif	passé composé	imparfait
dialogue 2				
venir				
aller				
attendre				
finir				
dialogue 3				
faire				
téléphoner				
lire				
penser				
dormir				
dialogue 4				
vouloir				
boire				

→ **b) Écoutez de nouveau les phrases et complétez-les avec les formes qui manquent.**

1. — À quelle heure est-ce que vous .... ?

— Je .... ce matin mais j' .... chez Philippe et Éliane, je .... les voir.

2. — .... vite, on y .... !

— Mais ....-moi, je n' .... pas .... !

3. — Qu'est-ce que vous .... quand je vous .... ?

— Je .... Pourquoi ?

— Je .... que vous ....

4. — Tu .... un coca ? un jus d'oranges ?

— Non, rien, merci, j' .... déjà .... deux jus de fruit.

Exercice **16** → **Complétez le tableau avec les formes des verbes à l'imparfait.**

	je	tu	il, elle, on	nous	vous	ils, elles
être	....	....	....	....	....	....
aller	....	....	....	....	....	....
finir	....	....	....	....	....	....

Imparfait ou passé composé ?

→ *Livre, page 134*

Exercice **17** → **Écrivez les verbes entre parenthèses à l'imparfait ou au passé composé.**

1. Quand elle (rentrer) .... chez elle, elle (avoir) ....
une belle surprise : son mari (préparer) .... un bon dîner.
2. Hier, nous (visiter) .... l'île de Ré, une petite île au bord de l'Atlantique, près de La Rochelle. Il (faire) .... très beau et il y (avoir) .... beaucoup de monde. On (faire) ....
du bateau et Pierre (se baigner) ....
3. Alors, tes vacances ? Tu (aimer) .... ? Tu (prendre)
.... de belles photos ? Mais, dis-moi, Dominique et Bernard (être) .... avec vous, non ?
4. Mardi matin, c'(être) .... très bizarre : il n'y (avoir) ....
personne dans les rues et on n'(entendre) .... aucun bruit…

Exercice **18** → **Lisez ce récit et récrivez-le au passé.**

Le lundi 6 mai arrive… Je me lève à 7 heures, je me prépare et je prends mon petit-déjeuner. Je n'ai pas très faim parce que je me pose beaucoup de questions sur l'école, les cours, les gens. Le rendez-vous est à 9 heures dans la salle « Cervantes ». Je prends le métro, ligne 4, et j'arrive à l'école à 8 h 30. Je suis donc en avance. Je vais demander à l'accueil où est la salle et je monte au premier étage. Devant la salle, une jeune femme attend, comme moi. Elle me dit, en anglais, qu'elle attend pour son premier cours d'espagnol. Je lui réponds aussi en anglais et lui dis que moi aussi. À son accent, je devine qu'elle est française, comme moi, et je lui pose la question en français : exact ! On rit beaucoup et on va prendre un café ensemble avant notre premier cours. J'ai une copine avant même de rentrer dans ma nouvelle classe et tout va bien !

Je n'ai pas très bien dormi parce que j'étais un peu inquiet pour mon premier cours d'espagnol dans cette grande école de Madrid.
Le lundi 6 mai ....
....
....
....
....
....

....

....

....

....

Exercice **19** → **Racontez le premier jour où vous êtes arrivé dans votre école pour apprendre le français. Décrivez les personnes, les lieux et exprimez vos premières impressions.**

....

....

....

....

....

Des sons et des lettres

→ *Livre, page 135*

[a] *(comme dans d'accord) et* [ã] *(comme dans grand)*

(82) Exercice **20** → **Écoutez et dites si vous entendez le son [ã] dans le 1er ou dans le 2e mot.**

	1	2	3	4	5	6
1er mot						
2e mot						

(83) Exercice **21** → **Écoutez et dites si vous entendez les sons [a] ou [ã]. Cochez les cases qui conviennent.**

	1	2	3	4	5	6	7	8
[a]								
[ã]								

(84) Exercice **22** → **Écoutez et complétez.**

1. Pr........ds un peu de s........l........de, il .... reste.
2. On p........rt tous ....s........ble v........dredi ?
3. On v........ ....cheter un c........deau pour ....g........the.
4. On ne peut plus ....tt........dre, on v........ être .... retard !
5. Elle n'a pas ....t........du qu........d il lui a dit « salut ! ».
6. Il y .... qu........tre c........did........ts mais le dernier est un peu l........t.

MODE ET SOCIÉTÉ

→ *Livre, pages 136 et 137*

Exercice **23** → **a) Regardez le document et cochez la case qui convient.**

Réagissons face à l'agression publicitaire!

homo modernicus

LA PUBLICITE ?
" Le fait, l'art d'exercer une action psychologique sur le public à des fins commerciales. "

"La publicité, qui assène sans relâche, dans tous nos espaces de vie et de culture, jusque dans notre intimité, un même message idéologique (la consommation sans réflexion), a tous les caractères de la propagande.

S'organiser dans notre pays, pour mener ensemble des actions de résistance à cette véritable dictature idéologique est devenu... fichtrement nécessaire !"

Jeunes à contre-courant, une plate-forme de réflexion et d'action anticapitaliste pour court-circuiter les divisions de la gauche radicale !

LA PUB, C'EST LÀ QU'ELLE ATTAQUE

CONTACT
E-mail :
jcc@lautre.net
Site internet :
http://www.jcc.be.tf
Tél : 04 250 09 37
Gsm : 0478 77 77 40

Réunion JCC/RAGE LG tous les 2èmes mardis du mois à 19h. Cour du Pot-au-Lait, 2ème porte à gauche (rue Soeur de Hasque).

R.A.P.
RESISTANCE A L'AGRESSION PUBLICITAIRE
Pour en savoir plus sur la lutte contre l'agression publicitaire :
http://www.antipub.be

Jeunes à contre courant

Ne pas coller.

SPONSORISED BY:
DIRTY
UNITED COLORS OF POLLUTION.

1. Quel est le type de document ?
   - ☐ Une publicité.
   - ☐ Un tract d'association.

2. Quel est le but du document ?
   - ☐ Faire de la publicité pour la mode.
   - ☐ Lutter contre la publicité qui est partout.

3. Quel est le message de l'image ?
   - ☐ L'homme moderne a de la chance.
   - ☐ L'homme moderne est une victime.

→ **b) Et vous, que pensez-vous de ce document ? Quelle est votre opinion face à la publicité ? Est-elle utile ou pousse-t-elle à la consommation ? Écrivez quelques lignes pour répondre à ces questions.**

....

....

....

....

....

....

....

→ *Livre, pages 138 et 139*

Exercice **1** → **a) Écrivez le nom de chaque instrument de musique.**

une guitare – une trompette – un accordéon – un piano – un trombone

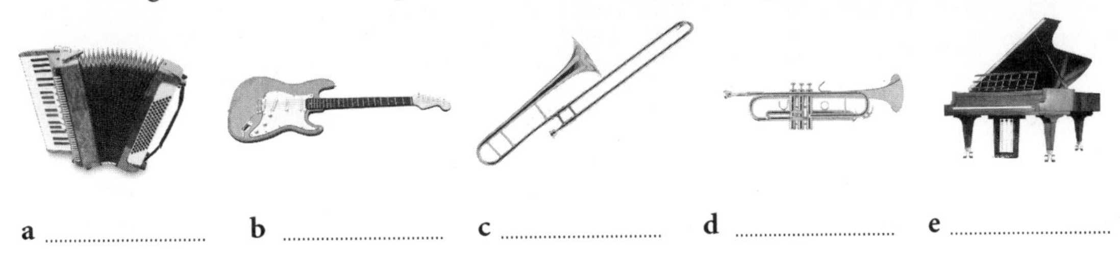

a .... b .... c .... d .... e ....

→ **b) Quels instruments avez-vous entendus dans la chanson *Et oui !* ?**

Exercice **2** → **Écoutez de nouveau la chanson *Et oui !*. L'homme écrit un message à la femme qui l'a quitté mais les phrases ci-dessous sont dans le désordre. Remettez-les dans l'ordre de la chanson et écrivez le message.**

Mais, dis-moi, tu ne regrettes rien ?
Et puis, je ne veux pas t'oublier, ça non !
Ma chérie,
Je voulais qu'on s'aime passionnément, tous les deux.
Et oui, tu es partie. Tu me dis que tu veux commencer une nouvelle vie.
Et moi, je n'ai plus rien, alors...
Oui, tu vas revenir et ce sera très bien.
Non, ce n'est pas possible, tu vas revenir, tu n'es pas très loin.
Je ne croirai plus jamais en rien.

....
....
....
....
....
....
....
....
....

Exercice 3 → Dans les phrases suivantes, remplacez *partir* par *s'en aller* et récrivez ces phrases.

1. Tu pars à quelle heure, demain matin ? → ....
2. Bon, il est tard, je vais partir. → ....
3. Il pleure parce qu'il veut rester chez sa grand-mère. Il ne veut jamais partir. → ....
4. Tu vas où ? Tu pars déjà ? → ....
5. On se décide maintenant : on reste ou on part. → ....
6. Clothilde est partie ce matin à huit heures. → ....

Exercice 4 → Complétez les phrases avec *quitter* ou *s'en aller* à la forme qui convient.

1. Je suis contente de .... Paris, c'est une ville fatigante !
2. On .... de la maison vers 7 h 45 tous les matins.
3. Ah, bon ? Cécilia .... Nicolas la semaine dernière ?
4. En mars prochain, elle .... en Bolivie pour son travail.
5. Il est triste parce qu'il .... bientôt l'Afrique.
6. Les enfants sont contents, demain, on .... en vacances au bord de la mer.

Exercice 5 → Associez chaque question à une réponse.

1. Vous y allez comment, à Paris ?
2. Ta fille rentre du Canada cet été ?
3. Alors, vous partez quand ?
4. C'était long, non ?
5. Elle s'en va samedi, c'est ça ?
6. Elle est arrivée en combien de temps, ma carte postale ?

a. Dans trois jours.
b. Pas trop ; j'ai tout fait en deux heures.
c. Bah, en TGV ! On y est en une heure dix !
d. En trois jours.
e. Non, elle sera là dans deux semaines !
f. Non, elle part dans une semaine.

1	2	3	4	5	6

Exercice 6 → Lisez les phrases puis complétez.

1. « J'ai commencé mes exercices à 18 heures et j'ai fini à 18 h 30. » →
   Sarah a fait ses exercices .... une demi-heure.
2. « On a le temps, on est au mois de mars et le mariage est en juillet. » →
   Le mariage est .... quatre mois.
3. « Ouh là là, déjà quatre heures moins dix… je vais chercher mes enfants à l'école à quatre heures et demie. » →
   Cédric va chercher ses enfants .... vingt minutes.

4. « On est partis de Tours à neuf heures et demie et on est arrivés à Rennes à midi ; c'est rapide ! » →
Ils sont allés de Tours à Rennes .... deux heures et demie.
5. « J'ai eu de la chance pour vendre ma voiture : mon annonce est parue dans le journal de mardi et jeudi soir, la voiture était vendue ! » →
Elle a vendu sa voiture .... trois jours.
6. « Un peu de patience, ma chérie, on est mercredi et on part dimanche, c'est bientôt ! » →
Le couple va partir .... quatre jours.

Parler de l'avenir

→ *Livre, pages 140 et 141*

85 Exercice 7 → **Écoutez et dites si ces personnes parlent du passé, du présent ou de l'avenir.**

	1	2	3	4	5	6
passé						
présent						
avenir						

Exercice 8 → **Cochez la (les) réponse(s) qui convient (conviennent).**

1. Tu vas aller au concert de Calogero vendredi ?
☐ Oui, j'y étais, j'adore Calogero !
☐ Oui, j'y suis allée, j'adore Calogero !
☐ Oui, j'y vais, j'adore Calogero !

2. Tu nous feras un poulet avec des frites ?
☐ Oui, je faisais du poulet et des frites le samedi.
☐ Oui, j'ai fait la cuisine.
☐ Oui, je vais faire un poulet, d'accord.

3. Comment est-ce que vous partez samedi ?
☐ J'ai pris un taxi.
☐ Je partais en voiture avec Alain.
☐ Mes amis viendront me chercher chez moi.

4. C'est vrai, tu veux quitter Saïd ?
☐ Oui, je l'ai quitté.
☐ Oui, je vais le quitter.
☐ Oui, je le quittais.

Le futur simple

Exercice 9 → **Mettez les verbes du dialogue au futur simple.**

— Laurie sait maintenant que Tristan (quitter) .... la France en juin pour les États-Unis.
— Ah, bon ? Et il (faire) .... quoi, aux États-Unis ? Il veut travailler ?
— D'abord, il (voyager) .... avec son ami Miguel pendant un mois et ensuite, oui, ils (chercher) .... tous les deux du travail.

— Mais ils (aller) .... où, d'abord ? C'est grand, les États-Unis…
— Ils (commencer) .... leur voyage à New York, chez la sœur de Miguel. Ensuite, ils (visiter) .... San Francisco et toute la côte ouest, et puis après, ils (voir) .... bien.
— Mais, ils (vivre) .... comment, là-bas ? Ils ont de l'argent ?
— Oui, un peu, je pense mais ils (essayer) .... de trouver des petits boulots, comme on dit…
— Oui, et comme on dit aussi : les voyages forment la jeunesse, non ?
— Oui, parfaitement !

Exercice **10** → **a) Regardez le document et trouvez votre signe du zodiaque.**

Mon signe : ....

Horoscope

Bélier
(21 mars – 20 avril)

Travail : Tout se passera merveilleusement bien cette semaine. Vous réussirez tout ce que vous entreprendrez et vous aurez la sympathie de vos collègues et la confiance de votre chef.

Amour : Ce n'est pas très calme en ce moment et vous rencontrerez des difficultés avec les Poissons et les Verseaux. Ne prenez pas de décision, attendez un peu…

Santé : Vous ne dormez pas assez. Reposez-vous, c'est important !

Taureau
(21 avril – 21 mai)
Travail :
Amour :
Santé :

Gémeaux
(22 mai – 21 juin)
Travail :
Amour :
Santé :

Cancer
(22 juin – 22 juillet)
Travail :
Amour :
Santé :

Lion
(23 juillet – 23 août)
Travail :
Amour :
Santé :

Vierge
(24 août – 22 septembre)
Travail :
Amour :
Santé :

Balance
(24 septembre – 23 octobre)
Travail :
Amour :
Santé :

Scorpion
(24 octobre – 22 novembre)
Travail :
Amour :
Santé :

Sagittaire
(23 novembre – 21 décembre)
Travail :
Amour :
Santé :

Capricorne
(22 décembre – 20 janvier)
Travail :
Amour :
Santé :

Verseau
(21 janvier – 18 février)
Travail :
Amour :
Santé :

Poissons
(19 février – 20 mars)
Travail :
Amour :
Santé :

→ **b) Lisez les prévisions pour le signe du Bélier et cochez les cases qui conviennent.**

	vrai	faux	?
1. Les Béliers n'auront pas de problème au travail.	☐	☐	☐
2. Leurs collègues vont être très sympathiques avec eux.	☐	☐	☐
3. Les Béliers vont tomber amoureux d'un Poissons ou d'un Verseau.	☐	☐	☐
4. Ils doivent rester calmes et ne rien décider.	☐	☐	☐
5. Cette semaine sera merveilleuse en amour.	☐	☐	☐
6. Les Béliers auront des difficultés à bien dormir.	☐	☐	☐

→ **c) Vous n'êtes pas du signe du Bélier, imaginez les prévisions pour votre signe. Vous êtes du signe du Bélier, choisissez un signe que vous aimez et écrivez les prévisions.**

....

....

....

Exercice **11** → **a) Associez chaque symbole à une phrase.**

1. Le temps sera nuageux. •
2. Il fera très beau. •
3. Il y aura des orages. •
4. Il va neiger. •
5. Il pleuvra. •
6. Le vent soufflera. •

• a.
• b.
• c.
• d.
• e.
• f.

→ 86 **b) Écoutez le bulletin météorologique. Cochez la case qui convient puis, quand cela est nécessaire, corrigez les affirmations comme dans l'exemple.**

Exemple : *Il ne fera pas très beau ce week-end.* (faux) → *Le week-end sera assez beau.*

	vrai	faux
1. Ce week-end, il y aura du vent et il fera un peu froid.	☐	☐

....

	vrai	faux
2. Samedi, le temps sera froid.	☐	☐

....

	vrai	faux
3. Samedi, il y aura des nuages sur tout le pays.	☐	☐

....

	vrai	faux
4. Il pleuvra samedi soir en Normandie et en Auvergne.	☐	☐
....		
5. Il fera 17° à Paris et 24° à Marseille.	☐	☐
....		
6. Dimanche, il pleuvra sur la partie nord du pays.	☐	☐
....		
7. Dimanche, le soleil brillera partout.	☐	☐
....		
8. Les nuages reviendront dans quelques jours.	☐	☐
....		
9. Dans quelques jours, il fera beau sur tout le pays.	☐	☐
....		

(86) Exercice **12** → **Écoutez de nouveau le bulletin météorologique et complétez la carte de samedi avec les symboles.**

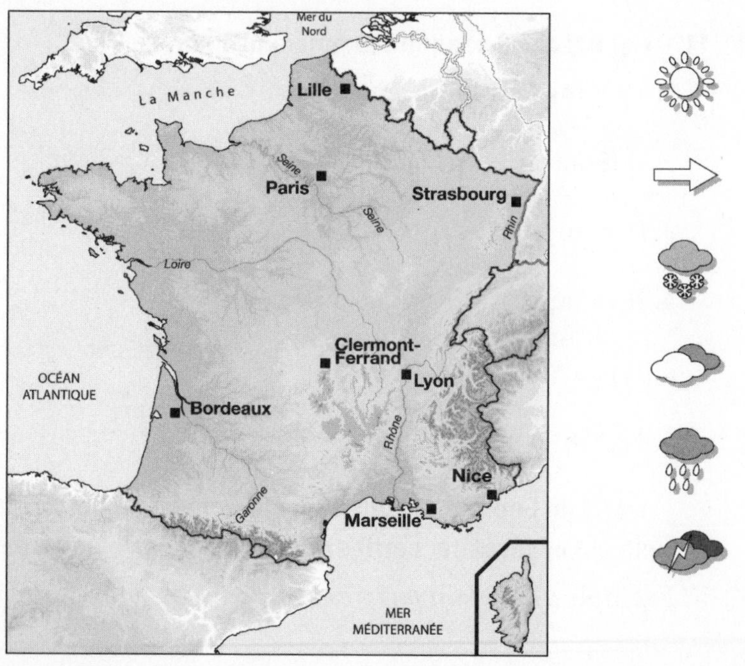

Exercice **13** → **Décrivez, par écrit, le temps qu'il fait chez vous aujourd'hui et imaginez, en quelques lignes, le temps qu'il fera demain.**

Aujourd'hui, ...

....

Demain, ...

....

....

Exprimer des souhaits

→ *Livre, pages 142, 143 et 144*

Exercice **14** → **Lisez la carte et répondez.**

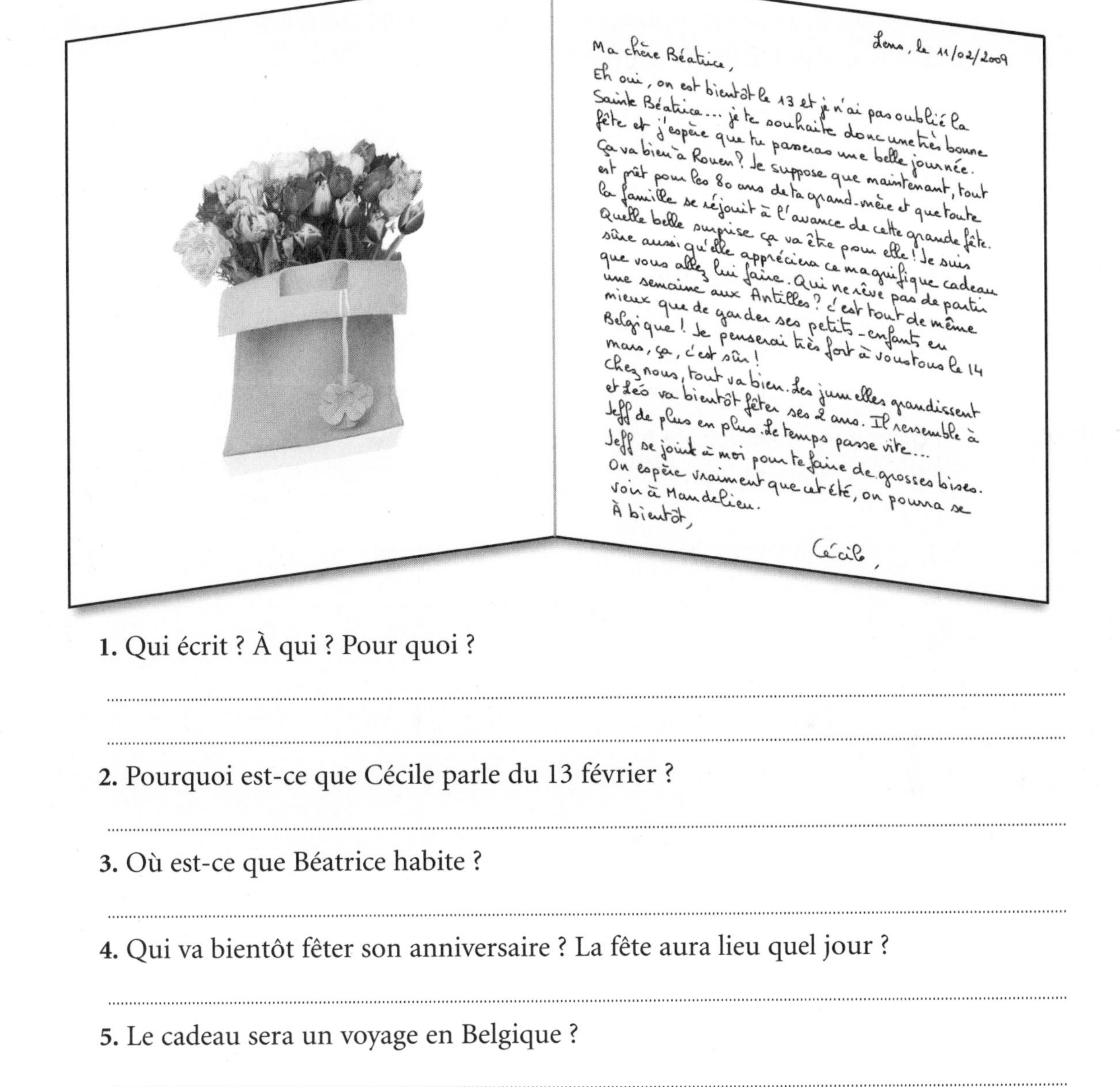

Lens, le 11/02/2009

Ma chère Béatrice,

Eh oui, on est bientôt le 13 et je n'ai pas oublié la
Sainte Béatrice... je te souhaite donc une très bonne
fête et j'espère que tu passeras une belle journée.
Ça va bien à Rouen ? Je suppose que maintenant, tout
est prêt pour les 80 ans de ta grand-mère et que toute
la famille se réjouit à l'avance de cette grande fête.
Quelle belle surprise ça va être pour elle ! Je suis
sûre aussi qu'elle appréciera ce magnifique cadeau
que vous allez lui faire. Qui ne rêve pas de partir
une semaine aux Antilles ? c'est tout de même
mieux que de garder ses petits-enfants en
Belgique ! Je penserai très fort à vous tous le 14
mars, ça, c'est sûr !
Chez nous, tout va bien. Les jumelles grandissent
et Léo va bientôt fêter ses 2 ans. Il ressemble à
Jeff de plus en plus. Le temps passe vite...
Jeff se joint à moi pour te faire de grosses bises.
On espère vraiment que cet été, on pourra se
voir à Mandelieu.
À bientôt,

Cécile,

1. Qui écrit ? À qui ? Pour quoi ?

....

....

2. Pourquoi est-ce que Cécile parle du 13 février ?

....

3. Où est-ce que Béatrice habite ?

....

4. Qui va bientôt fêter son anniversaire ? La fête aura lieu quel jour ?

....

5. Le cadeau sera un voyage en Belgique ?

....

6. Cécile a des enfants ? Combien ?

....

7. Qui est Jeff ?

....

8. Où est-ce que Béatrice va aller cet été ?

....

Exercice **15** → **Choisissez dans la liste une expression que vous pouvez dire dans chaque situation proposée.**

Santé ! – Bonne journée ! – Bonne chance ! – À votre santé ! –
Bonne fête ! – Bonne nuit ! – Bonnes vacances ! – Bon week-end !

1. Le matin, vous rencontrez votre voisin qui part travailler. → ....
2. À la maison, il est 23 heures et vos amis français vont se coucher. → ....
3. Votre ami français part samedi et dimanche pour voir son frère. → ....
4. Vous appelez votre amie Béatrice le 13 février. → ....
5. Vos voisins partent une semaine en vacances à Paris. → ....
6. Vous buvez le champagne avec des amis. → ....

87 Exercice **16** → **Écoutez, et, pour chaque souhait, dites qui peut parler et dans quelle situation.**

	Qui ?	Situation
1		
2		
3		
4		
5		

Le subjonctif

Exercice **17** → **Écrivez les verbes entre parenthèses au subjonctif.**

1. Il faut que vous (comprendre) .... bien la situation.
2. Sylvie voudrait que tu (finir) .... ce travail avant vendredi.
3. Vous voulez qu'on vous (aider) .... à charger la voiture ?
4. J'aimerais bien que tu me (dire) .... qui viendra.
5. Demain matin, il faut qu'on (partir) .... vers 8 heures.
6. Je voudrais que Loïc et Marine (voir) .... ce film.
7. On aimerait bien que Lilian (venir) .... avec nous chez Frantz.
8. Tu veux qu'on (regarder) .... tes photos maintenant ?

Exercice **18** → **Rayez la forme qui ne convient pas.**

1. Je sais que Paul (viendra / vienne) nous voir ce week-end.
2. Tu veux bien que je (prends / prenne) ta voiture pour aller faire les courses ?
3. Amélie est sûre que demain soir elle (sortira / sorte) avec ses amis.
4. Je souhaite que tu (apprends / apprennes) rapidement le français.
5. Bien sûr que nous (partirons / partions) tous ensemble !

Exercice **19** → **Lisez les phrases et trouvez la forme du verbe souligné. Cochez la case qui convient.**

	indicatif	subjonctif
1. Tu veux qu'on en parle à Marie ?	☐	☐
2. Il faut que tu écoutes bien ton professeur.	☐	☐
3. Je sais bien que tu plaisantes.	☐	☐
4. Je trouve que Laura danse très bien.	☐	☐
5. Tu aimerais qu'on visite Paris tous les deux ?	☐	☐
6. On souhaite tous que tu t'amuses toute la nuit.	☐	☐

Demande-lui, appelle-moi…

Exercice **20** → **Transformez les phrases. Écrivez le verbe souligné à l'impératif et faites les transformations nécessaires.**

1. Tu l'achètes, il est vraiment très beau !

   ....

2. Vous leur téléphonez ce soir, ça ira très bien.

   ....

3. Tu en prends trois, s'il te plaît !

   ....

4. Tu l'attends cinq minutes, elle va arriver.

   ....

5. Vous en parlez au directeur, s'il vous plaît.

   ....

6. Tu vas le voir, c'est un film excellent !

   ....

7. Nous y retournons en août, c'est un pays tellement magnifique !

   ....

8. Tu lui expliques, il comprendra très bien.

   ....

Exercice **21** → **Écrivez les phrases à la forme négative.**

Exemple : *Donne-les à Patrick ! → Ne les donne pas à Patrick !*

1. Vas-y tout de suite ! → ……………………………………

2. Regarde-moi ! → ……………………………………

3. Appelle-la ! → ……………………………………

4. Donne-lui ton numéro de téléphone. → ……………………………………

……………………………………

5. Arrête-toi ici. → ……………………………………

6. Laissez-moi seul. → ……………………………………

7. Couchons-nous tard. → ……………………………………

8. Asseyez-vous ici. → ……………………………………

Exercice **22** → **Imaginez chaque réponse. Utilisez le verbe proposé à l'impératif et remplacez les éléments soulignés par des pronoms.**

Exemple : — *Oh ! le <u>beau cadeau</u>… Il est pour moi ? Mais c'est trop gentil…*

→ — *(Ouvrir) Arrête de parler et ouvre-le vite !*

1. — Je suis en retard ? Je dois faire vite ?

— (se dépêcher) …………………………………… !

2. — J'ai acheté un livre pour <u>Marie</u>, vous croyez qu'elle va l'aimer ?

— (offrir) …………………………………… !

3. — Hum… Il a l'air bon, <u>ce gâteau</u>… mais il n'y en a plus beaucoup…

— (manger) …………………………………… !

4. — Je suis fatigué, j'ai beaucoup marché…

— (s'asseoir) …………………………………… !

5. — On a beaucoup de travail, je voudrais tellement aller <u>à la piscine</u>, mais on n'a pas fini…

— (aller) …………………………………… !

6. — Demain, on a sept heures de marche et il va faire chaud… on ne doit pas partir trop tard…

— (se lever) …………………………………… !

→ *Livre, page 145*

[o] *(comme dans mot) et* [ɔ̃] *(comme dans mon)*

(88) Exercice **23** → **Écoutez et cochez la case qui convient.**

1. ☐ Salut Léo ! ☐ Salut Léon !
2. ☐ C'est la hotte ! ☐ C'est la honte !
3. ☐ Quel joli pot ! ☐ Quel joli pont !
4. ☐ J'ai un gros bobo. ☐ J'ai un gros bonbon.
5. ☐ Comme c'est beau ! ☐ Comme c'est bon !
6. ☐ Regarde le pinceau. ☐ Regarde le pinson.
7. ☐ Il faut du riz. ☐ Ils font du riz.
8. ☐ Il a fait un petit rot. ☐ Il a fait un petit rond.

(89) Exercice **24** → **Écoutez et cochez la case qui convient.**

	1	2	3	4	5	6	7	8
[o]								
[ɔ̃]								

(90) Exercice **25** → **Écoutez et complétez les phrases.**

1. Attenti........ de ne pas t........ber !
2. Il y a du m........de devant son bur........ .
3. On a visité un très b........ chât........ .
4. Tu t'es levé tr........p t........t !
5. J'ai acheté un hebd........ et les journ........x d'........jourd'hui.
6. Cette pièce est très s........bre.
7. Il y avait de b........s chev........x.

MUSIQUE, MUSIQUES...

→ *Livre, pages 146 et 147*

(91) Exercice **26** → **Lisez les documents. Écoutez et trouvez de qui chaque personne parle.**

LES OGRES DE BARBACK

est un groupe de quatre frères et sœurs qui viennent de la région parisienne et qui ont grandi dans la musique. Ils ont d'abord chanté dans la rue. Avec quatre instruments acoustiques (violon, flûte traversière, violoncelle et accordéon), la petite famille donnait des concerts improvisés. Ils sont à la fois influencés par les grands auteurs de la chanson francophone (J. Brel, G. Brassens), par la scène alternative des années 80 et par la musique des pays de l'est. Du trottoir au bistrot, du café à la salle de concert, ils ont fait parler d'eux...

Déjà star au Canada, la petite Québécoise revient en France avec *Le cœur dans la tête*, son 2e album. D'une tonalité intimiste, les chansons de ses deux albums contiennent des sonorités qui inscrivent l'artiste dans son époque. Son talent et sa foudroyante présence sur scène font d'**Ariane Moffatt** une artiste majeure de la scène musicale québécoise. Pas étonnant, quand on sait que ses influences sont, entre autres artistes, Nick Drake et Tori Amos.

AMADOU ET MARIAM sont musiciens et chanteurs maliens. Ils se sont rencontrés en 1975 à l'Institut des jeunes aveugles de Bamako, et ils forment un couple à la scène comme à la vie. Ils se font connaître au début des années 2000 où ils acquièrent une notoriété et une sympathie auprès du public français, couronnées en 2005 par une Victoire de la musique pour l'album *Dimanche à Bamako*, réalisé avec le concours du musicien Manu Chao, qui se dit fan du duo. Ils ont maintenant beaucoup de succès en France et au-delà de nos frontières. Des tournées les conduisent dans d'autres pays d'Europe, notamment en Allemagne et en Suisse, mais aussi aux États-Unis, par exemple en Louisiane et à Los Angeles.

	Les Ogres de Barback	Ariane Moffatt	Amadou et Mariam
1			
2			
3			
4			
5			

Transcriptions

module **1** Parler de soi

unité**1** *Salut !*

Piste 2

Exercice 1, page 5

1. Bonjour. – **2.** Bon, tchao, à demain ! – **3.** Salut, ça va ? – **4.** Vous allez bien ? – **5.** Salut ! – **6.** Au revoir.

Piste 3

Exercice 3, page 5

1. — Bonjour, madame Girard.
— Bonjour, monsieur Ottman. Vous allez bien ?
— Bien merci.

2. — Salut Béa. Ça va ?
— Ça va, et toi ?

3. — Bon, salut, Yasmine.
— Salut, Élodie, à demain.

4. — Au revoir, madame Leroux.
— Au revoir. À lundi.

5. — Au revoir Julie.
— Au revoir. Tu me téléphones demain !
— Oui, d'accord.

Piste 4

Exercice 5, page 6

1. Bonjour – **2.** Merci. – **3.** Monsieur. – **4.** S'il vous plaît. – **5.** Ça va ? – **6.** Au revoir.

Piste 5

Exercice 8, page 6

1. p, l, a, i accent circonflexe, t
2. r, e accent aigu, p, e accent aigu, t, e, z
3. l, e, c cédille, o, n
4. c, a, f, e accent aigu
5. h, o accent circonflexe, t, e, l
6. v, o, i, l, a accent grave
7. f, e, n, e accent circonflexe, t, r, e

Piste 6

Exercice 9, page 6

1. Madame Ghalleb : G, H, A, deux L, E, B.
2. Madame Chanteau : C, H, A, N, T, E, A, U.
3. Monsieur Caillé : C, A, I, deux L, E accent aigu.
4. Monsieur Garçon : G, A, R, C cédille, O, N.
5. Madame Benoît : B, E, N, O, I accent circonflexe, T.
6. Monsieur Gitlaw : G, I, T, L, A, W.

Piste 7

Exercice 11, page 7

1. Je m'appelle Carlos, je suis brésilien, j'habite à Brasilia.
2. Je m'appelle Akiko, je suis japonaise, j'habite à Tokyo.
3. Je m'appelle Francisco, je suis espagnol, j'habite à Paris.
4. Je m'appelle Nataliya, je suis française, j'habite à Budapest.
5. Je m'appelle Qin, je suis chinoise, j'habite à Lyon.

Piste 8

Exercice 20, page 9

a. France Inter, il est sept heures.
b. Prenez le bus numéro trois.
c. J'habite au 9, rue de la Barre.
d. Alors, cinq euros, s'il vous plaît.
e. Je voudrais deux tickets, s'il vous plaît.
f. Il y a huit étudiants.

Piste 9

Exercice 21, page 9

1. — Pardon, Émilie Leduc, s'il vous plaît.
— Oui. Vous êtes ?
— Vincent Boileau.

2. — Bonjour monsieur. Vous êtes Thierry Beaupérin ?
— Ah, non, je suis désolé.
— Excusez-moi.

3. — Fabien Lebas ?
— Pardon ?
— Vous êtes Fabien Lebas ?
— Euh, non, non.
— Oh, excusez-moi.

Piste 10

Exercice 22, page 10

1. Ça va. – **2.** Oui ? – **3.** Madame Fradin. – **4.** Deux euros. – **5.** Une baguette ? – **6.** Mercredi ? – **7.** Pardon. – **8.** Fabio ?

Piste 11

Exercice 23, page 10

a : ça – madame – quatre – message – café – mardi
oi : trois – danois – voisin
ou : vous – écoutez – groupe

Piste 12

Exercice 24, page 10

1. moi – **2.** sa – **3.** pour – **4.** chat – **5.** four

Piste 13

Exercice 25, page 10

1. bar – **2.** mouche – **3.** soir – **4.** tasse – **5.** coupe – **6.** boire – **7.** frousse – **8.** phrase – **9.** douze

unité**2** *Enchanté !*

Piste 14

Exercice 1, page 12

— Moi, je m'appelle Komala et je viens de Mumbaï. J'ai 37 ans. Je suis éditrice aux éditions Mixo. Et toi ?
— Moi, c'est Qing. Je suis chinois. En France, j'habite à Paris et je suis informaticien chez Thomson. Tu habites où ?
— J'habite à Gentilly, près de Paris. Et toi, tu as quel âge ?
— Ah ! oui, j'ai 28 ans, excuse-moi !

Piste 15

Exercice 14, page 18

Voici Lauro. Il est espagnol. C'est mon ami. Il a 26 ans et il est étudiant. Il habite à Paris mais il vient de Madrid.

Piste 16

Exercice 19, page 19

a. — Quel est ton numéro de téléphone mobile ?
— C'est le 06 67 14 58 38.

b. — Tu as le numéro de Maud ?
— Euh... oui, attends. Maud : 03 58 23 65 01.

c. — Je n'ai pas votre numéro de téléphone au bureau...
— Ah... C'est le 01 31 68 47 32.

Piste 17

Exercice 23, page 20

1. — Tu viens à Nice samedi avec moi ?
— Oui, d'accord !

2. — François n'est pas malade ?
— Si, si, il est malade.

3. — Vous ne travaillez pas à Damas ?
— Non, je travaille à Beyrouth, pas à Damas.

4. — Elle est polonaise ?
— Non, elle travaille à Varsovie mais elle est française.

5. — Isabelle n'est pas la directrice ?
   — Si, elle est directrice des éditions Pixma.
6. — Vous n'êtes pas monsieur Moro ?
   — Si, je suis Antoine Moro.

Piste 18

Exercice 25, page 21

1. **a.** c'est dit – **b.** c'est dû
2. **a.** relis – **b.** relu
3. **a.** il est ému – **b.** il est émis
4. **a.** sali – **b.** salut
5. **a.** dix mules – **b.** dix mille
6. **a.** suce – **b.** six
7. **a.** la vie – **b.** la vue

unité 3 *J'adore !*

Piste 19

Exercice 4, page 23

1. — C'est qui sur la photo ?
   — C'est ma sœur Aline et son amie Isabelle.
   — Et qu'est-ce qu'elles font, là ?
   — Elles font la cuisine. Elles préparent un dîner chinois.
2. — Allo, Marine ? C'est Claude. Ça va ?
   — Oui, très bien, et toi ?
   — Ça va. Vous allez au concert de jazz samedi soir avec Paul ?
   — Ah ! non, désolée. Nous n'aimons pas du tout le jazz.
3. — Ils sont où, les livres sur la France ?
   — Regarde, ils sont là !

Piste 20

Exercice 6, a, page 23

1. Moi, j'adore le basket-ball ! – **2.** Ah ! oui, nous aimons beaucoup le squash. – **3.** Dimanche, je vais faire du vélo avec Youk, mon chien. – **4.** La natation ? Ah ! non, je n'aime pas du tout ! – **5.** Ah ! non, je déteste l'escalade ! C'est dangereux. – **6.** La gym ? Oui, j'aime bien… – **7.** Thomas fait du football à l'Olympique de Marseille. – **8.** J'aime beaucoup la course à pied ; c'est un bon sport.

Piste 21

Exercice 10, page 25

a. C'est Lucie. Elle a 25 ans. Elle déteste les voitures. Elle aime le sport et les petits chiens.
b. Christopher a 31 ans. Il n'aime pas le sport. Il adore la télévision et sa maison.
c. Saïd habite à Paris. Il aime beaucoup sortir avec ses amis et danser. Il déteste travailler.
d. Élodie adore les gros chiens. Elle n'aime pas les chats. Elle fait du sport et elle déteste la télévision.

Piste 22

Exercice 13, page 26

a. J'ai rendez-vous avec madame Paul à 15 h 45. – **b.** Le train arrive à 21 h 58. – **c.** Je suis né le 27 février à midi et demi. – **d.** Allo, c'est moi ! J'arrive à Paris à 23 h 32. Bisous ! – **e.** Votre rendez-vous est lundi à 9 h 20.

Piste 23

Exercice 27, page 31

1. Prends la rue Dupin ! – **2.** Il est sous la table. – **3.** Des sous ! – **4.** Regarde tes joues. – **5.** C'est dû. – **6.** Choisis un écru.

module 2 Échanger

unité 4 *Tu veux bien ?*

Piste 24

Exercice 5, page 34

1. — Je donne mon nom ?
   — Oui, écris ton nom ici.
2. — Vous voulez me voir, monsieur Grandet ?
   — Oui. Vous pourriez venir dans mon bureau, s'il vous plaît ?
3. — Bonjour, Bernard Masson, de la société Libris.
   — Ah, bonjour monsieur Masson, entrez, je vous en prie.
4. — Ah, bon ? Tu vas à Cracovie ? C'est super.
   — Oui, mais, euh, tu pourrais garder mon chien ?
5. — Quel problème ? Il n'y a pas de problème.
   — Ah, bon ? Regarde la photo, là.
6. — J'habite à Dvirkivshchyna.
   — Euh, oui… Vous pourriez épeler, s'il vous plaît ?

Piste 25

Exercice 6, page 35

— Société Luna, bonjour.
— Bonjour, Magali, c'est Cédric.
— Ah, bonjour Cédric. Ça va ?
— Oui, oui, merci. Euh, dis-moi, tu pourrais téléphoner à l'hôtel de l'Europe, à Colmar ? je n'ai pas le numéro de téléphone… pour dire que je vais arriver à l'hôtel à 22 heures.
— Oui, oui, pas de problème.
— Je voudrais parler à Bénédicte, elle est dans son bureau ?
— Attends, je vais l'appeler… Non, elle n'est pas là, elle ne répond pas.
— Bon, alors, tu pourrais dire à Bénédicte d'envoyer, par fax, à l'hôtel de l'Europe, la lettre de la société Volubis du 18 mars ?
— Volubis… 18 mars… D'accord, c'est noté.
— Merci Magali.
— Je t'en prie.
— Salut.
— À plus.

Piste 26

Exercice 17, page 38

1. Il y a un problème ? – **2.** Maria a arrosé les plantes ? – **3.** On visite le musée d'Orsay samedi. – **4.** Tu as téléphoné à Louise ? – **5.** J'ai payé avec ma carte Visa. – **6.** Vous voulez venir avec moi ? – **7.** Elle n'a pas écrit à Fabio.

Piste 27

Exercice 20, page 40

1. Il y a un problème ? – **2.** Tu connais le problème ! – **3.** On a visité le musée samedi. – **4.** On a visité un musée samedi. – **5.** Il y a des plantes dans ton appartement ? – **6.** J'ai arrosé les plantes dans ton appartement. – **7.** Excusez-moi, vous payez avec une carte ? – **8.** Excusez-moi, vous ne pouvez pas payer avec la carte American express.

Piste 28

Exercice 22, page 40

1. Les étudiants arrivent à sept heures. – **2.** Ils sont chez un ami. – **3.** C'est très important. – **4.** Ils ont ton adresse ? – **5.** Vous avez des amis espagnols ? – **6.** On a pris un café.

Piste 29

Exercice 23, page 40

1. Vous avez des enfants ? – **2.** Ils habitent dans une maison ? – **3.** Louise a payé cent euros. – **4.** Elles aiment les exercices ? – **5.** Vous êtes japonais ? – **6.** On va chez eux dans une semaine. – **7.** Vous arrivez à vingt-deux heures ?

Piste 30

Exercice 24, page 41

1. douze – **2.** treize – **3.** bus – **4.** russe – **5.** bise – **6.**case

Piste 31

Exercice 25, page 41

1. arroser – **2.** intéressant – **3.** maison – **4.** bonsoir – **5.** choisir – **6.** visiter – **7.** passer – **8.** présenter

unité 5 *On se voit quand ?*

Piste 32

Exercice 1, page 42

1. Salut, c'est Rémi. Ce soir, il y a un concert de Rachid Taha. J'ai deux places. Je t'invite. Appelle-moi vite. Bisous.

2. Coucou, c'est Marie. J'aimerais bien voir l'expo Giacometti au Centre Pompidou, samedi ou dimanche après-midi. Tu es libre ? Ça te dit ? Je te rappelle ce soir. À plus !

3. C'est mon anniversaire et je fais une petite fête vendredi soir. Tu viens avec Richard ? C'est à 20 heures chez moi. Euh... pardon... C'est Aurélie !

4. Bonjour, c'est Chris. Un petit dîner samedi avec quelques bons amis, d'accord ? Appelez-moi au 06 22 12 36 11. Il y a Stéphanie et Gwen, Gilles et Pat, Jean-Michel... Ça va être sympa.

Piste 33

Exercice 4, page 43

1. — Dis-moi, Elise, on fête les 25 ans de Roxane samedi à la maison. Ça te dirait de venir ?
— Oh oui, avec plaisir ! On fait un cadeau tous ensemble ?

2. — Pour dimanche après-midi, je vous propose une visite de la ville et un apéritif au café du théâtre, sur la terrasse.
— C'est d'accord ! C'est un beau programme !

3. — J'ai deux places pour aller voir *Le Malade imaginaire* au théâtre, samedi. Je t'invite ?
— Samedi ? Ah... mais je ne peux pas. Je vais à Angers voir ma famille.

4. — Est-ce que tu veux venir avec nous ce soir ? On va au restaurant avec Béa et Lionel.
— Non merci, ça ne me dit rien. Tu sais, je suis fatiguée, je vais dormir, ce soir.

Piste 34

Exercice 8, page 44

Allo, salut Marie, salut Francis, c'est François. Vous allez bien ? Et, on se voit quand ? Bon, on organise un dîner à la maison vendredi soir avec des amis. On voudrait vous inviter. Vous êtes libres ? C'est à 20 heures. On a du champagne, Maria va apporter un gâteau et moi, je vais faire la cuisine. Vous pouvez apporter une bouteille de vin rouge ? Grosses bises à vous deux et à bientôt !

Piste 35

Exercice 10, page 45

1. Mais chéri, tu ne m'aimes plus ? – **2.** Tu crois que Paul et Louise vont accepter ? – **3.** Allo, oui, excusez-moi, c'est madame Vannier. J'ai oublié l'heure de mon rendez-vous la semaine prochaine. – **4.** Je voudrais reparler de ça avec toi mais là, tu ne peux pas. – **5.** Eh ! Salut Martine ! Mais qui est cette jolie petite fille ? – **6.** Mais pourquoi il ne répond pas à notre question ?

Piste 36

Exercice 17, page 48

1. — Allo ? Bonjour. Madame Richaud. Je voudrais un rendez-vous avec le docteur Razel, s'il vous plaît.
— Oui, quel jour ?
— Le vendredi ou le lundi, c'est bien.
— Je vous propose vendredi 15 avril à 17 h 15, ça va ?
— Ah ! non. Après, c'est possible ?
— J'ai 18 heures, 18h40.
— 18 heures, c'est très bien. Merci.

2. — Bonjour, madame. Je voudrais un rendez-vous, s'il vous plaît.
— Oui. Qui vous coiffe ?
— En général, c'est Cathy.
— Vous pouvez venir demain ?
— Demain... Euh, non, je préfère jeudi.
— Jeudi, Cathy n'est pas libre. C'est possible avec Sophie ou Isa.
— Et vendredi ?
— Oui, ça va être possible. Vendredi matin ou après-midi ?
— Le matin, vers 10 heures ?
— 10 heures, non, mais 10h30, c'est bon !
— D'accord !
— Alors, vendredi 12, 10h30... Vous êtes madame... ?
— Madame Mozol, M.O.Z.O.L.
— Très bien, à bientôt, madame Mozol !

Piste 37

Exercice 22, page 50

a. Il est 19h15 et notre magasin va bientôt fermer ses portes. Merci de vous diriger vers les caisses. – **b.** Le train express n° 6520 à destination de Paris gare de Lyon, partira à 14h42 de la voie 4. – **c.** France Info, il est 11h59, tout de suite le journal, Stéphanie Guillon. – **d.** Le film de la semaine, *Actrices*, séance à 17h30. – **e.** Allo, bonjour monsieur. Est-ce qu'un taxi pourrait venir chez moi pour 13h25, s'il vous plaît ? – **f.** D'accord, madame, on se voit le 25 à 13h50.

Piste 38

Exercice 25, page 50

1. — Il est à quelle heure, ton train ?
— Euh... Attends... Il part à sept heures vingt-huit.

2. — Tu commences à travailler à quelle heure, le matin ?
— Vers huit heures et demie, en général. Et toi ?
— Moi, à neuf heures.

3. — C'est à quelle heure, le film ?
— À neuf heures moins le quart.

4. — Tu as rendez-vous à quelle heure chez le coiffeur ?
— À trois heures moins le quart.

5. — Vite, son avion arrive à trois heures vingt !
— On a le temps, il est trois heures moins dix !

6. — Pardon madame, vous avez l'heure, s'il vous plaît ?
— Euh... oui... Il est six heures moins vingt-cinq.
— Merci !

Piste 39

Exercice 28, page 53

1. On va chez Marc ? – **2.** Je ne veux pas manger dans ce restaurant chinois. – **3.** Elle est très jolie, cette femme ! – **4.** Vous allez en Belgique en juin ou en juillet ? – **5.** Vous avez choisi, monsieur ? – **6.** Est-ce que tu pourrais garder mon chat ? – **7.** On va chercher Jean-Charles à l'école. – **8.** J'adore les voyages !

Piste 40

Exercice 30, page 54

1. — Bon, c'est à quelle heure, le concert ?
— À sept heures et demie.
— Je viens chez toi à sept heures, ça va ?
— Oui, très bien. D'accord !

2. — Ça te dirait que maintenant on visite l'abbaye ?
— Oh oui, j'aimerais bien ! On prend d'abord un petit café ?
— D'accord. Un café et on y va !

3. — L'expo finit le 11 et on est le 9, on doit faire vite...
— L'expo de la BNF ?
— Bah oui...
— Bon, on peut se donner rendez-vous cet après-midi à 15 heures, non ?

4. — Allo, Sylvie ? C'est Bruno. Tu vas au match, samedi ?
— Bien sûr, j'ai ma place !
— On se retrouve à cinq heures devant l'entrée ou je viens chez toi avant ?
— Rendez-vous à cinq heures devant le parc des sports. Ça marche !

5. — Au ciné ? Euh... oui... C'est à quelle heure ?
— Le film est à seize heures quinze.
— Bon, j'arrive...

6. — C'est une pièce de Tchekov. Elle est très bien, tu veux venir ?
— Avec plaisir ! C'est où et à quelle heure ?
— C'est au théâtre Romain Rolland, à 20 h 30. Tu passes chez moi à 20 heures ?

unité 6 *Bonne idée !*

Piste 41

Exercice 7, page 58

1. Ah bon, on va manger dans une pizzeria ! Oh, c'est nul ! – **2.** Oui, je suis d'accord avec toi, quel film horrible ! – **3.** Ah, non, non, non, moi je pense que c'est une bonne idée. – **4.** Bon, d'accord, mais moi je trouve que ce n'est pas beau. – **5.** Oui, tu vois, ça, ça me plaît beaucoup... c'est différent, tu vois... – **6.** Oh, mais quelle jolie photo ! C'est à Paris, là, non ?

Piste 42

Exercice 25, page 64

1. Et Mélanie, elle aime ton frère, tu crois ? – **2.** Tu as vu le beau livre sur Tokyo ? – **3.** Bonjour ! Comment vas-tu ? – **4.** Est-ce que Laura va venir ? – **5.** Tu as les billets de train ? – **6.** Tu as parlé à madame Legal ?

Piste 43

Exercice 28, page 66

1. J'ai reçu un cadeau. – **2.** Oui, le français est facile ! – **3.** Ça coûte cinquante centimes. – **4.** Il y a combien de leçons ? – **5.** Comment va François ?

Piste 44

Exercice 29, page 66

1. Tu veux un grand café ? – **2.** Je vais regarder la télé. – **3.** Il travaille beaucoup. – **4.** C'est un cadeau curieux. – **5.** J'ai pris un gâteau au café. – **6.** Tu peux garder mon chat ?

Piste 45

Exercice 30, page 66

1. grand – **2.** écouter – **3.** groupe – **4.** cours – **5.** gare – **6.** quand – **7.** coûter – **8.** gris

module 3 Agir dans l'espace

unité 7 *C'est où ?*

Piste 46

Exercice 5, page 68

— Caroline ? C'est Clément. Dis, tu peux m'expliquer où est notre rendez-vous, je ne vois pas la rue de Strasbourg sur mon plan.
— Ah, bon ? C'est près de la place du 14 juillet. Tu la vois ?
— Euh... attends... Oui, je l'ai ! Il y a la rue de Paris, la rue...
— Oui, oui c'est ça. Il faut prendre la rue de Paris et là, quand tu vas voir la grande poste, tu vas tourner à gauche. C'est la rue de Strasbourg.
— Ah ! D'accord. Et le *Café des Arts*, il est où ?
— Il est juste après la Banque de France, sur la droite.
— On se retrouve à quelle heure exactement ?
— On a dit 17 heures, ça va ?
— Hum... Je préfère 17 h 30 parce que...
— Très bien, d'accord. Pas de problème !

Piste 47

Exercice 12, page 72

1. Ne cours pas, chéri, tu vas tomber. – **2.** Ne faites pas de bruit. Chut... – **3.** N'entrez pas dans cette zone sans casque, c'est dangereux. – **4.** S'il vous plaît, ne touchez pas les statues. – **5.** N'écoute pas la musique trop fort, c'est mauvais pour les oreilles. – **6.** Ne marchez pas là, j'ai planté des fleurs !

Piste 48

Exercice 18, a, page 74

1. Désolé, je ne vous ai pas vu. – **2.** Ah non ! Moi, je n'ai pas voulu accepter ça ! – **3.** Qu'est-ce que tu as fait hier soir ? – **4.** Je n'ai pas eu mon cadeau. – **5.** On n'a pas su quoi dire... – **6.** La montre ne lui a pas plu. – **7.** Ils n'ont pas pu arriver à l'heure. – **8.** Vous avez fini ?

Piste 49

Exercice 21, page 75

— Salut Stéphanie, mais qu'est-ce que tu as ?
— C'est rien...
— Mais tu n'as plus de cheveux ?
— Non, j'ai eu un petit accident.
— De voiture ?
— Non, de moto.
— Tu as une moto ?
— Non, pas moi, Jérôme, mon copain.
— Et qu'est-ce qui s'est passé ?
— On est allés à l'anniversaire de François et quand on est rentrés, la moto a glissé.
— Mais pourquoi ?
— Parce que samedi dernier, il a plu toute la journée, tu te rappelles ?
— Ah, oui... Et ça va ?
— Oui, je suis allée à l'hôpital mais je suis restée seulement une nuit. Ce n'est pas grave.
— Et ton copain ?
— Il a eu de la chance, il n'a rien eu du tout et il a pu rentrer chez lui. Son père est venu le chercher. On a eu très peur mais ça va.

Piste 50

Exercice 25, page 77

1. J'ai reçu une deuxième lettre de Mila. – **2.** Il est trente-cinquième sur quatre-vingt-douze étudiants. – **3.** C'est au vingt-cinquième étage. – **4.** Cet été, ils repartent en Inde pour la douzième fois. – **5.** On a construit cette magnifique église au treizième siècle. – **6.** C'est son premier vol en avion, il est très content. – **7.** Elle est soixante-douzième au marathon et il y a 320 coureurs. – **8.** Il vient de sortir son vingt-et-unième roman ; je l'ai lu et il est vraiment bien.

Piste 51

Exercice 26, page 77

1. Vous pouvez tourner à droite, s'il vous plaît ? – **2.** Tu as visité le musée des Arts premiers ? – **3.** Fermez la fenêtre, s'il vous plaît ! – **4.** Tu aimes le sport à la télévision ? – **5.** Tu veux aller au cinéma, ce soir ? – **6.** J'ai oublié mes clés à la maison.

Piste 52

Exercice 27, a, page 77

1. Tu bois de la bière ? – **2.** Je ne sais pas pourquoi. – **3.** Elle habite à Bari. – **4.** Hum… Un bon bain… – **5.** On va à Paris, samedi. – **6.** Il est excellent, ce pain !

Piste 53

Exercice 27, b, page 78

1. roule – poule – boule
2. abat – appât – amas
3. déborder – décorer – déporter
4. bal – dalle – pâle
5. râpe – râle – râble
6. poulets – boulets – goulet

Piste 54

Exercice 28, page 78

1. — Pardon madame, je cherche la bibliothèque. C'est loin ?
— Non, c'est tout près de la gare. Vous connaissez ?
— Euh… non, pas très bien.
— Prenez à gauche puis tournez deux fois à droite. Vous allez voir une place et un joli bâtiment moderne avec un toit rond et noir. C'est là !
— Ah ! Merci, madame.

2. — Pardon monsieur, l'Institut du monde arabe, s'il vous plaît ?
— C'est juste là, derrière, un bâtiment magnifique qui réunit à merveille les cultures arabe et occidentale. Vous allez voir des références arabes traditionnelles comme les moucharabiehs, ou le patio… et aussi une construction moderne de verre et d'acier.

3. — Excuse-moi, le bâtiment des sciences, c'est où ?
— Là, c'est la chimie. Derrière tu vas voir le grand bâtiment de médecine, tu connais ?
— Oui, oui, je vois.
— Tu tournes à gauche juste après et tu vas voir un beau bâtiment de verre.
— Bon d'accord, merci !

4. — Ah oui, mais ce n'est pas du tout dans ce quartier…
— Ah ? On m'a dit de venir ici…
— Ah ! mais si ! Vous cherchez le nouveau palais de justice ?
— Euh oui, je ne sais pas…
— Si, je pense que c'est ça. C'est à gauche, juste après le café. Vous allez voir un bâtiment moderne, blanc, avec des formes, euh… sympas, des formes originales. C'est facile à trouver, il y a le drapeau bleu, blanc, rouge juste devant.

unité 8 *N'oubliez pas !*

Piste 55

Exercice 1, page 80

1. — Et vous, Cristina, vous venez d'où ?
— Moi, je suis salvadorienne, je suis née à San Salvador et maintenant, je vis ici, à Nice. Je suis venue pour faire des études de médecine.
— Vous aimez la France ?
— Oui, beaucoup, mais mon pays me manque. C'est le soleil qui me manque beaucoup…

2. — Vous êtes nigérian, c'est ça ?
— Ah ! non, non, je viens du Kenya. C'est un magnifique pays.
— Et maintenant, vous habitez ici pour votre travail.
— Oui, je suis à Paris depuis deux ans et je travaille chez Total.
— Vous pensez souvent à votre pays ?
— Oui, oui, c'est sûr. Je pense très souvent aux plages de sable blanc, aux forêts, et aux magnifiques animaux sauvages. Ça me manque un peu…

3. — Et vous, Laura ?
— Moi, je viens d'Italie du sud. De Bari.
— Et… pourquoi la France ?
— Parce que mon mari est français. J'habite à Lille maintenant… et j'ai froid !
— Ah ! oui. Et votre pays vous manque ?
— Bien sûr ! Surtout les pâtes et le bon café italien…

Piste 56

Exercice 5, page 82

1. Vous ne devez pas passer ici avec votre vélo ! – **2.** Attention, tu ne peux pas marcher sur cette route ; c'est pour les voitures ! – **3.** Oh, zut ! Il ne faut pas emmener son chien ici. – **4.** Monsieur, je suis désolée mais il est interdit de fumer ici… – **5.** Ne bois pas cette eau, elle n'est pas bonne ! Achète une bouteille. – **6.** Ne touchons pas, c'est interdit !

Piste 57

Exercice 7, page 82

1. Écoutez bien puis répétez. – **2.** Vous devez montrer votre passeport avant d'embarquer, madame. – **3.** Va te laver les mains et viens manger. – **4.** Ne t'inquiète pas, elle va revenir. – **5.** Le numéro du docteur Dupleix a changé. Composez le 01 45 85 65 23. – **6.** Il faut composter votre billet avant de monter dans le train.

Piste 58

Exercice 11, page 84

1. Pour être en forme, vous devez dormir plus, manger correctement et prendre deux comprimés de Toniplus chaque matin. – **2.** Vous pourriez écouter le CD à la maison et répéter les phrases. – **3.** Respire bien, serre le ventre, lève la jambe gauche et recommence 10 fois l'exercice. Puis lève la jambe droite. – **4.** Oui, il faut venir ici pour commander votre carte Visa et votre chéquier. – **5.** Alix, tu pourrais demander à papa, il va accepter, je pense.

Piste 59

Exercice 22, a, page 89

demain – belle – demande – reste – vert – exercice – cinéma – entrée – tête – réponse – terre – devoir

Piste 60

Exercice 23, a, page 89

sieste – antenne – relire – descendre – pelle – énerve – examiner – terre – déchet

Piste 61

Exercice 25, page 89

1. Il est beau ce vélo, il est à Véro ou à toi, Bertille ? – **2.** Bruno part au Burundi en octobre ou en novembre. – **3.** Tu veux boire une bière, un apéritif ? – **4.** Vous voulez voir la vieille ville, c'est bien ça ? – **5.** Tu viens bientôt à Strasbourg ? – **6.** Venez vite, on va prendre le bus vingt-deux pour aller à Bastille.

Piste 62

Exercice 26, page 90

1. — Ah ! Julie ! Alors, ces vacances, qu'est-ce que tu as fait ?
— On est partis à la Guadeloupe avec Louis et les enfants.
— Bien ! Alors ?
— Que du bonheur ! La mer, le soleil, les gens sont très gentils. On a tous a-do-ré !

2. — Tu es fatiguée, Christine ?
— Oui, je suis arrivée ce matin de Nouvelle-Calédonie.
— Tu es partie avec Emmanuel ?
— Non, toute seule, je suis allée voir ma mère à Nouméa.
— Tu es contente de ton voyage ?
— Oh... C'est trop loin : plus de vingt heures de voyage ! Je ne voudrais pas aller là-bas tous les mois, hein ! Et puis, seule, c'est pas drôle ! Là, je veux dormir...

3. — Allo, Dominique ? Alors, vous êtes rentrés ?
— Oui, on est rentrés mardi.
— Alors, c'est comment Tahiti ?
— Oh ! Un rêve ! Vraiment un magnifique cadeau de mariage.
— Et Marco, content aussi ?
— Oh ! oui. On a nagé, on a fait du bateau, Marco est allé pêcher avec des voisins sympathiques. Oh, le rêve, je te dis !

4. — Alors, Florence, tu es partie en Martinique ?
— Oui, cet été avec mes deux frères et ma sœur.
— Ça s'est bien passé ?
— Oui, très bien. On est allés voir notre père à Fort-de-France et ensuite, on a visité l'île.
— C'est joli ?
— Oui, c'est magnifique, vraiment magnifique !

unité 9 *Belle vue sur la mer !*

Piste 63

Exercice 2, page 93

— Vacances de rêve, bonjour. Vous voulez réserver un voyage, tapez 1. Vous voulez parler avec un conseiller, tapez 2. Vous voulez vérifier votre...
— Vacances de rêve, bonjour. Virginie à votre service.
— Bonjour, madame, je voudrais des informations sur le voyage en Guadeloupe, au Village tropical.
— Oui, bien sûr. Le Village tropical se trouve à Saint-François. Nous proposons des appartements et des studios pour deux à six personnes. Nous avons en ce moment une offre de voyage pour neuf jours et sept nuits à 695 euros, tout compris. Départ de Paris le 15 avril, retour le 23 avril.
— Ah, oui, mais, euh, je ne veux pas partir le 15 avril. Moi, c'est pour le mois de juin.
— En juin, nous avons un départ le 16 juin et un autre départ le 24 juin.
— Ah, bon ? on ne peut pas partir quand on veut ?
— Non, monsieur, je suis désolée, on a seulement deux dates pour le mois de juin.
— Ah, bon ? Le 16 juin...
— Ou le 24 juin.
— Oui, le 24 juin... Et c'est 695 euros par personne ?
— C'est 695 euros par personne pour le voyage du 15 avril. Pour les voyages des 16 et 24 juin, c'est 990 euros.
— Par personne ?
— Oui, 990 euros par personne.
— Ah, bon ! Mais... C'est cher...
— Il y a beaucoup de personnes qui veulent voyager au mois de juin.
— Et euh, on peut faire la cuisine dans les appartements ? Il y a tous les appareils, tous les... les assiettes...
— Oui, monsieur. Et il y aussi un petit restaurant au Village tropical. Plus tous les restaurants de Saint-François.
— Bon. Bah, euh, merci pour ces informations. Je vais parler avec ma femme, on... on va réfléchir.
— D'accord, monsieur. Mais je vous invite à nous contacter rapidement. Il n'y a pas beaucoup de places et nous avons beaucoup de demandes.
— Oui, oui, d'accord. Merci, madame.
— Je vous en prie.
— Au revoir.
— Au revoir, monsieur.

Piste 64

Exercice 5, page 94

— Corentin a déménagé ?
— Oui, maintenant, il travaille à Fougères.
— Fougères ?
— Oui, tu connais ?
— Non, pas du tout.
— C'est une ville pas très grande, en Bretagne. Il y a 20000 habitants, environ.
— Vous y êtes allés ? C'est bien ?
— Bah, oui, c'est bien. Mais, c'est petit. Est-ce que Corentin va aimer ? Ça, je ne sais pas !
— Mais c'est où en Bretagne ?
— Dans l'est de la Bretagne. C'est à 50 kilomètres de Rennes. C'est près du Mont-Saint-Michel aussi : à 50 kilomètres, je crois.
— Et il y a le TGV ?
— Bah, non, il faut aller à Rennes pour prendre le train.
— Et sinon, elle est comment, la ville ?
— Oh, elle est jolie. Il y a un vieux château. Le centre-ville n'est pas mal. Il y a un beau marché, le samedi.
Et puis, c'est une ville sportive : on peut faire beaucoup d'activités. Ça, ça va plaire à Corentin !
— Il habite dans le centre-ville ?
— Non, mais pas trop loin. Il a un petit appartement... Dans le centre, il y a beaucoup de vieilles maisons, mais Corentin est dans un immeuble moderne, très bien équipé, avec un parking privé.
— Hum... Je crois que je vais aller me promener à Fougères...
— Oui, c'est une bonne idée !

Piste 65

Exercice 20, page 101

1. — Et où est Ibrahim maintenant ? Il a quitté Paris, non ?
— Mais, non, il habite ici. Je le vois souvent.

2. — Quand est-ce que vous êtes venu au Sénégal ?
— Ah, mais, c'est la première fois que je viens ici.

3. — Qu'est-ce que vous avez fait pendant les vacances ?
— On est encore allé en Bretagne.

4. — Le directeur n'a pas beaucoup aimé votre lettre.
— Quelle lettre ? Je n'ai jamais écrit au directeur.

Piste 66

Exercice 21, page 101

1. Vous connaissez le Japon ou la Chine ? – **2.** Le directeur n'est pas là ? – **3.** Tu connais bien Tokyo ? – **4.** Vous aimez aller au cinéma ? – **5.** C'est un restaurant japonais que tu connais ?

Piste 67

Exercice 24, page 103

1. arrête – **2.** canapé – **3.** collègue – **4.** décrire – **5.** réfléchir – **6.** chèque – **7.** frère – **8.** société

Piste 68

Exercice 25, page 103

1. rivière – **2.** fêter – **3.** après – **4.** père – **5.** numéro – **6.** fenêtre – **7.** enchanté – **8.** génial – **9.** répète – **10.** prénom

Piste 69

Exercice 26, page 103

1. Il a eu un joli vélo bleu. – **2.** C'est original mais trop dangereux. – **3.** Je vous propose jeudi prochain. – **4.** Elle possède des photos merveilleuses. – **5.** Le studio est au numéro cent deux.

module 4 Se situer dans le temps

unité 10 *Quel beau voyage !*

Piste 70

Exercice 1, a, page 106

1. La calebasse, c'est le fruit d'un arbre, et c'est vraiment un super exemple de ce qu'on fait en Afrique avec les plantes. La calebasse, ça se mange pas, mais on la transforme en plein de choses, en plein d'objets pour la maison. On fait des boîtes à sucre, des boîtes pour ranger le thé ou même tout simplement des objets pour décorer les maisons. C'est très joli, je trouve.

2. Là, regarde, on a vu de très belles couleurs... Les femmes portent des jupes, des tuniques et des foulards de tête avec des couleurs assorties. Les plus jeunes sont souvent grandes et minces, les plus âgées sont parfois très fortes. Les femmes portent sur leur tête des calebasses ou des bassines chargées de vaisselle, de poteries...

3. Ah ! oui, ça, c'est le sorgho. Ça s'appelle aussi le gros mil. C'est la cinquième plus importante céréale dans le monde. On la trouve surtout en Afrique. Les femmes pilent cette graine dans leurs grands mortiers et elles font de la farine ou de la semoule pour cuisiner. Avec le sorgho, elles préparent, par exemple, le tô, le plat national. Pas mauvais du tout...

4. Sur certaines maisons, on trouve des formes géométriques, comme des triangles, des losanges. C'est l'habitat traditionnel gourounsi. La forme et les couleurs de ces figures ont toujours une signification particulière que les habitants connaissent bien.

5. Le marché, c'est tous les jeudis. C'est ce jour-là que les Touaregs, les Peuls, les Bella et les Songhaï mettent leurs plus beaux vêtements. Le marché a des couleurs magnifiques et on y trouve un peu de tout.

Piste 71

Exercice 4, page 108

— Bonjour !
— Bonjour, madame. Qu'est-ce qui vous ferait plaisir ?
— Euh... Peut-être des melons. C'est combien le kilo ?
— Ils sont à la pièce, les melons. Trois euros la pièce ou dix euros les quatre melons.
— Bon, je vais prendre quatre petits, alors.
— D'accord. Et vous avez vu nos belles fraises ? Seulement trois euros la barquette de 500 grammes.
— Ah oui, elles sont belles. Mettez-moi deux barquettes, s'il vous plaît.
— Voilà... Et avec ça ?
— Bah... euh, des cerises ? Vous en avez ?
— Oui, regardez, elles sont de la région. 4,20 € le kilo.
— Je vais en prendre un kilo, s'il vous plaît. Et puis, je vais prendre une salade... Oh ! mais, elles sont petites !
— Oui, c'est vrai. Je vous les fais à 2 euros les trois, ça va ?
— Parfait. D'accord. Et puis, je vais m'arrêter là pour aujourd'hui.
— J'ai des belles prunes, regardez. Des abricots ?
— Non, non, merci. C'est tout.
— Très bien.
— Ça fait combien, tout ça ?

Piste 72

Exercice 5, page 108

— Euh... Peut-être des melons. C'est combien le kilo ?
— Ils sont à la pièce, les melons. Trois euros la pièce ou dix euros les quatre melons.
— Bon, je vais prendre quatre petits, alors.
— D'accord. Et vous avez vu nos belles fraises ? Seulement trois euros la barquette de 500 grammes.
— Ah oui, elles sont belles. Mettez-moi deux barquettes, s'il vous plaît.
— Voilà... Et avec ça ?
— Bah... euh, des cerises ? Vous en avez ?
— Oui, regardez, elles sont de la région. 4,20 € le kilo.
— Je vais en prendre un kilo, s'il vous plaît. Et puis, je vais prendre une salade... Oh ! mais elles sont petites !
— Oui, c'est vrai. Je vous les fais à 2 euros les trois, ça va ?

Piste 73

Exercice 12, page 111

— Oh là là, quelle histoire !
— Bah oui, qu'est-ce qui t'est arrivé ?
— Écoute un peu ça... Je me suis levée à sept heures pour me préparer. Puis, à sept heures dix, mon téléphone a sonné : ma mère ! « Viens vite, je suis tombée, je ne peux pas me lever... » J'ai couru sous ma douche, ensuite j'ai donné à manger à mon chat, je me suis habillée en cinq minutes et puis je suis partie. J'ai roulé vite jusque chez ma mère... enfin, je suis arrivée chez elle et... bah, tu ne vas pas me croire...
— Bah si, quoi ? Dis-moi...
— J'ai trouvé ma mère et sa voisine en train de discuter et de rire autour d'un café... elle avait téléphoné à tout le monde !

Piste 74

Exercice 15, page 112

— Oh ! mais tu n'es jamais d'accord avec mes idées ! Tu aimes la montagne, je te propose une semaine de randonnée dans les Alpes et ça ne va pas ! Tu es très difficile à vivre, Juliette !
— Tu sais que je travaille beaucoup en ce moment, hein, tu le sais, ça ? Je ne suis pas assez disponible pour les enfants le soir, tu vois bien ! Je travaille trop, je fume trop, je mange peu, je n'en peux plus !
— D'accord, mais juillet, c'est encore loin, ça va aller mieux, non ?
— Je ne sais pas, comment le savoir ?

je suis tellement fatiguée…
— Bon, qu'est-ce que tu aimerais faire pour les vacances, alors ?
— Je voudrais aller au bord de la mer et me reposer.
— Oh non ! Tu sais bien qu'il y a trop de monde ! Et en plus, on n'a pas assez d'argent pour réserver une maison au bord de la mer…
— Mais si, Bruno !
— Mais non, tu vas vouloir aller dans le Sud et dans le Sud, c'est trop cher !
— Et pourquoi pas en Corse ?
— Parce qu'il y a trop de monde, il fait trop chaud en été et puis…
— Mais c'est très beau, la Corse !
— Mais oui, c'est magnifique, mais tu ne m'écoutes pas. Tu parles tellement que tu n'entends pas ce que je te dis !
— Mais si, mais…
— Bon, je vais me promener un moment, je reviens…

Piste 75

Exercice 17, page 113

1. — Tu as une voiture ?
— Non, je n'en ai pas, je prends le bus.
2. — Vous voulez un autre café ?
— Non merci, j'en ai bu trois ce matin. Ça suffit.
3. — Il a beaucoup d'argent ?
— Beaucoup, non, mais il en a.
4. — Ça va au bureau, tu n'as pas trop de travail ?
— Si, j'en ai beaucoup mais ça va bien.
5. — Pourriez-vous m'apporter un peu de sel, s'il vous plaît ?
— Mais j'en ai mis sur votre table, il n'y est plus ?

Piste 76

Exercice 25, a, page 116

1. Vendredi, j'ai vu ton père au marché. – **2.** Pauvre Marie, elle a eu beaucoup de peine de devoir partir. – **3.** S'il vous plaît, pouvez-vous fermer un peu la fenêtre ? – **4.** Demain, je vais visiter la nouvelle maison de Luc. – **5.** Mais non, chère Anne, il n'y a pas de problème !

Piste 77

Exercice 26, a, page 116

1. Un peu de pain, vous avez faim ? – **2.** C'est promis, je viens demain matin. – **3.** On a reçu une invitation pour une exposition de peinture. – **4.** Cinq personnes sont intéressées par le voyage en Finlande. – **5.** J'ai un examen lundi et je sais que ça ne va pas être simple.

Piste 78

Exercice 27, page 116

1. lait – **2.** grain – **3.** faim – **4.** malais – **5.** parfait – **6.** bouquin – **7.** plaît – **8.** vin

unité 11 *Oh ! joli !*

Piste 79

Exercice 4, page 118

Clémence et Sophie sont deux bonnes amies. Elles ont 23 ans et elles se ressemblent un peu. Elles sont brunes et elles ont les cheveux longs. Sophie est un peu frisée. Elles portent toutes les deux des petites lunettes. Clémence est un peu forte et elle a l'air drôle. Sophie a un petit nez pointu et elle a l'air sérieux.

Piste 80

Exercice 11, page 121

— Elle avait raison, Aiko, c'est un très bon film !
— Euh… Tu plaisantes ! C'est long… et puis, cette histoire ne m'a pas plu.
— Elle ne t'a pas plu, peut-être, mais les acteurs sont formidables, non ?
— C'est vrai, mais les histoires de psychologues qui deviennent malades, excuse-moi mais ça, c'est nul !
— Mais Simon ne devient pas malade, il est très troublé par l'histoire de Mathias.
— Mais pas du tout ! Ils ont tous un passé étrange, on voit que tout se dérègle dans leur vie… Et Simon devient vraiment malade ! Tu ne trouves pas que c'est un peu trop, tout ça ?
— Non, je trouve que c'est possible, c'est tout. Moi, cette histoire m'a touché. Et Mathieu Amalric… comme il est émouvant !
— Là, pas de problème, je ne vais pas dire le contraire…
— Bon ben alors, tu l'as un peu aimé ce film ?
— Absolument pas, cher ami ! Bon arrêtons d'en parler et allons prendre un verre !
— Bonne idée, mais… je continue à penser que c'est un film excellent.
— Oh ! Quel têtu, hein !

Piste 81

Exercice 15, page 122

1. — À quelle heure est-ce que vous êtes arrivée ?
— Je suis arrivée ce matin mais j'étais chez Philippe et Éliane, je voulais les voir.
2. — Viens vite, on y va !
— Mais attendez-moi, je n'ai pas fini !
3. — Qu'est-ce que vous faisiez quand je vous ai téléphoné ?
— Je lisais. Pourquoi ?
— Je pensais que vous dormiez.
4. — Tu veux un coca ? un jus d'orange ?
— Non, rien, merci, j'ai déjà bu deux jus de fruit.

Piste 82

Exercice 20, page 125

1. alla ; allant – **2.** ranger ; rager – **3.** penser ; passer – **4.** tas ; temps – **5.** arrivant ; arriva – **6.** haras ; hareng

Piste 83

Exercice 21, page 125

1. Je n'entends rien, désolé... – **2.** Quelle catastrophe, c'est incroyable ! – **3.** Un autre enfant ? non, j'en ai déjà deux ! – **4.** Achète un ananas au marché, s'il te plaît ! – **5.** Le climat est tropical, c'est agréable. – **6.** Dans un an, je revends cette voiture et j'en cherche une nouvelle. – **7.** Quand commence la saison des pluies ? – **8.** Mon entreprise progresse beaucoup depuis trois ans.

Piste 84

Exercice 22, page 125

1. Prends un peu de salade, il en reste. **2.** On part tous ensemble vendredi ? – **3.** On va acheter un cadeau pour Agathe. – **4.** On ne peut plus attendre, on va être en retard ! – **5.** Elle n'a pas entendu quand il lui a dit « salut ! ». – **6.** Il y a quatre candidats mais le dernier est un peu lent.

unité 12 *Et après ?*

Piste 85

Exercice 7, page 129

1. — On est le combien, s'il vous plaît ?
— Euh… le 16… euh, non, on est le 17 !

2. — Tu vas chez Christophe samedi ?
— Oui, je pense, il m'a invité. Toi aussi, tu y vas ?
3. — Vous étiez à Lyon, vendredi ?
— Moi, oui. Bruno était chez sa mère, à Bron.
4. — Tu viendras me voir à l'hôpital ?
— Bien sûr ! Tous les jours !
5. — Bon, qu'est-ce qu'on fait ?
— Bah, on s'en va, non ?
6. — Vous serez chez vous dimanche ?
— Oh oui, je pense.

Piste 86

Exercice 11, b, page 131

— Sans plus attendre, la météo de ce week-end, Léa Minot.
— Enfin, nous aurons un assez beau week-end ! Fini le vent, la pluie et le froid... place au soleil ! Aujourd'hui, samedi, le temps sera doux avec encore quelques nuages sur la partie nord du pays. Il ne pleuvra pas, sauf sur la Normandie et la Bretagne en fin de journée. Les températures : 18° à Paris, 17° à Lille et 24 à Marseille. Demain, même type de temps mais il ne pleuvra pas. Il y aura un beau soleil sur toute la partie sud du pays. Petit à petit, les nuages vont disparaître partout et dans quelques jours, il fera très beau et même très chaud sur l'ensemble du pays.

Piste 87

Exercice 16, page 134

1. À votre santé !
2. Bon voyage, ma chérie ! Tu nous appelles, hein ?
3. Joyeux anniversaire, joyeux anniversaire, joyeux anniversaire, Antoine, joyeux anniversaire !
4. Meilleurs vœux ! Bonne année... et surtout une bonne santé !
5. — Bonne soirée et surtout bon appétit !
— Ferme bien la porte à clé, hein !

Piste 88

Exercice 23, page 137

1. Salut Léon ! – **2.** C'est la honte ! – **3.** Quel joli pot ! – **4.** J'ai un gros bobo. – **5.** Comme c'est bon ! – **6.** Regarde le pinceau. – **7.** Ils font du riz. – **8.** Il a fait un petit rond.

Piste 89

Exercice 24, page 137

1. Raymond a pêché trois thons ! – **2.** C'est un joli mot. – **3.** Regardez mes héros préférés ! – **4.** On a une réunion demain. – **5.** Mettez votre chapeau. – **6.** C'est un son très pur. – **7.** Tu peux jouer un do, s'il te plaît ? – **8.** Il est blond et il a les yeux marron.

Piste 90

Exercice 25, page 137

1. Attention de ne pas tomber ! – **2.** Il y a du monde devant son bureau. – **3.** On a visité un très beau château. – **4.** Tu t'es levé trop tôt ! – **5.** J'ai acheté un hebdo et les journaux d'aujourd'hui. – **6.** Cette pièce est très sombre. – **7.** Il y avait de bons chevaux.

Piste 91

Exercice 26, page 138

1. J'aime beaucoup sa chanson *Montréal* et en concert, elle est formidable ! – **2.** C'est un son très original qui me rappelle parfois la musique tzigane. J'adore, pas toi ? – **3.** Quelle énergie ils dégagent ! Ils sont vraiment sympathiques et chantent très bien tous les deux ensemble. – **4.** Incroyable, quel talent, quelle belle famille ! – **5.** Même à Paris, on fait de la très bonne musique, gaie et originale.

Corrigés

module **1** Parler de soi

unité **1** *Salut!* pages 5 à 11

Exercice **1** – page **5**
1. Bonjour, madame. – **2.** Oui, salut! – **3.** Ça va, et toi? – **4.** Bien, merci, et vous? – **5.** À lundi. – **6.** Au revoir, Myriam.

Exercice **2** – page **5**
1. Bonjour ; Vous allez ; merci ; vous – **2.** Salut *ou* Bonjour ; vas ; Ça ; toi – **3.** Bonjour ; plaît.

Exercice **3** – page **5**
1. vous – **2.** tu – **3.** tu – **4.** vous – **5.** tu

Exercice **4** – page **5**
lundi, **mardi**, **mercredi**, jeudi, **vendredi**, samedi, **dimanche**

Exercice **5** – page **6**
1. Bonjour. – **2.** Merci. – **3.** Monsieur. – **4.** S'il vous plaît. – **5.** Ça va? – **6.** Au revoir.

Exercice **6** – page **6**
— Merci.
— Je vous en prie.

— Ça s'écrit comment, votre nom ?
— C, H, A, deux P, E accent aigu.

— À demain.
— Tchao.

— Votre nom, s'il vous plaît.
— Sophie Dumont.

Exercice **7** – page **6**
1. a b c **d** e f g **h** i j k l m n o **p** q r s **t** u v w **x** y z
2. z y **x** w v **u** t s **r** q p **o** n m l k j **i** h g **f** e d **c** b a

Exercice **8** – page **6**
2. répétez – **3.** leçon – **4.** café – **5.** hôtel – **6.** voilà – **7.** fenêtre

Exercice **9** – page **6**
1. Ghalleb – **2.** Chanteau – **3.** Caillé – **4.** Garçon – **5.** Benoît – **6.** Gitlaw

Exercice **10** – page **6**

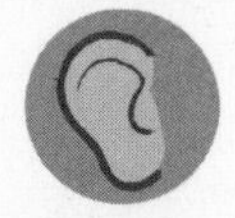
Écoutez.

Soulignez.

Lisez.

Écrivez.

Regardez.

Complétez.

Exercice **11** – page **7**

			nationalité (*il* **ou** *elle est*...)	**ville**
Carlos	×		*brésilien*	Brasilia
Akiko		×	japonaise	Tokyo
Francisco	×		espagnol	Paris
Nataliya		×	française	Budapest
Qin		×	chinoise	Lyon

Exercice **12** – page **7**
1. Aiko – **2.** Je – **3.** Vous – **4.** Tu – **5.** Ma mère

Exercice **13** – page **7**
1. suis – **2.** est – **3.** es – **4.** est – **5.** êtes

Exercice **14** – page **7**
2. japonais – **3.** brésilien – **4.** chinois – **5.** belge – **6.** allemand – **7.** marocain

Exercice **15** – page **8**
française – belge – canadienne – sénégalaise – russe – coréenne

Exercice **16** – page **8**
1. Aiko – **2.** Vous – **3.** Elle – **4.** Tu – **5.** Madame Ferrari

Exercice **17** – page **8**
2. Vache russe – **3.** Vache chinoise – **4.** Vache française – **5.** Vache mexicaine – **6.** Vache allemande – **7.** Vache brésilienne

Exercice **18** – page **9**
9: neuf – 6: six – 3: trois – 10: dix – 5: cinq – 8: huit – 4: quatre

Exercice **19** – page **9**

t	r	i	s	h	q	u	a	s	d
i	n	h	q	u	a	t	r	e	i
d	e	u	a	n	h	u	i	p	s
h	u	i	t	r	o	c	e	t	e
c	f	x	r	o	d	i	x	e	r
e	z	r	o	i	e	n	i	x	o
n	e	f	i	x	u	q	s	u	c
q	u	a	s	e	p	d	i	i	n
i	x	e	i	d	e	u	x	t	q
s	e	p	z	é	r	o	n	e	u

Exercice **20** – page **9**
b. trois – **c.** neuf – **d.** cinq – **e.** deux – **f.** huit

Exercice **21** – page **9**
1. Pardon ; s'il vous plaît.
2. Bonjour ; je suis désolé ; Excusez-moi.
3. Pardon ; excusez-moi.

Exercice **22** – page **10**
2. Oui ? – **3.** Madame Fradin. – **4.** Deux euros. – **5.** Une baguette ? – **6.** Mercredi ? – **7.** Pardon. – **8.** Fabio ?

Exercice **24** – page **10**
1. moi – **2.** sa – **3.** pour – **4.** chat – **5.** four

Exercice **25** – page **10**

	1	2	3	4	5	6	7	8	9
a	×			×				×	
oi			×			×			
ou		×			×		×		×

Exercice **26** – page **11**

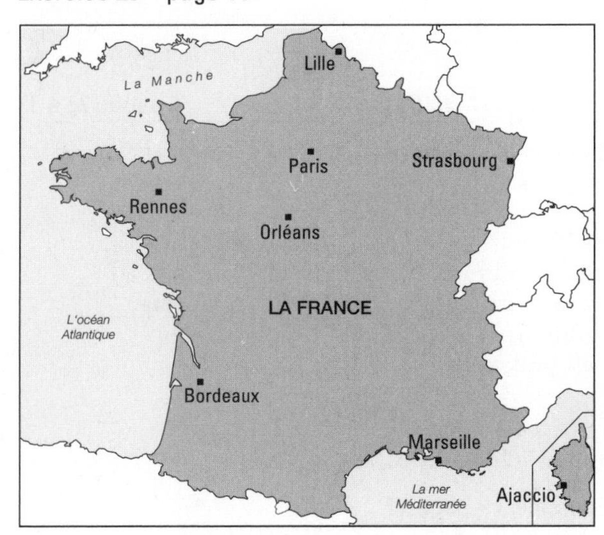

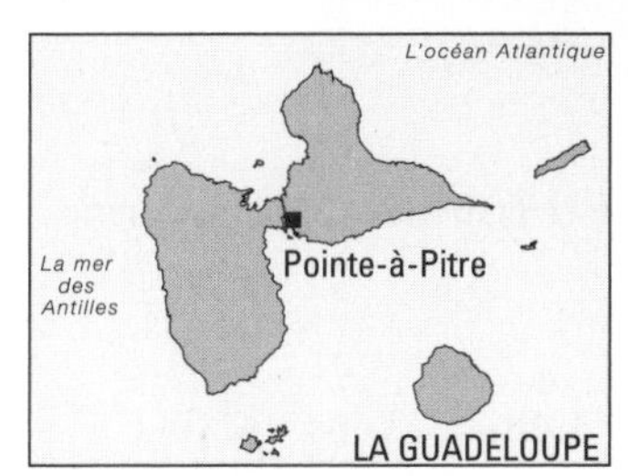

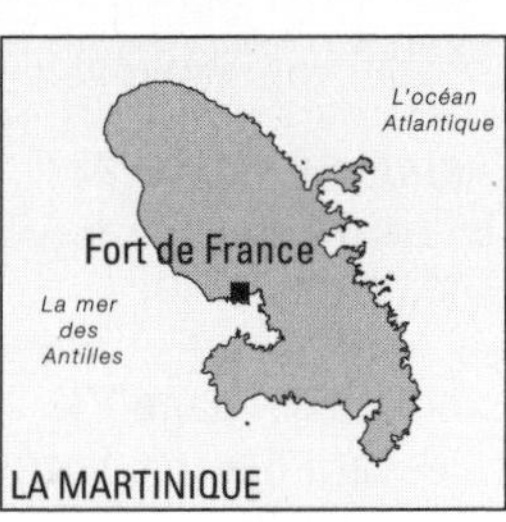

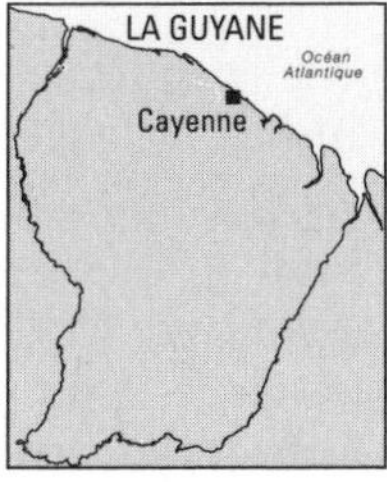

unité2 *Enchanté !* pages 12 à 21

Exercice **1** – page **12**
1. vrai – **2.** faux – **3.** faux – **4.** vrai – **5.** faux – **6.** vrai – **7.** faux

Exercice **2** – page **12**
1. b – **2.** d – **3.** e – **4.** h

Exercice **3** – page **13**
1. vrai – **2.** faux – **3.** on ne sait pas – **4.** on ne sait pas – **5.** vrai – **6.** vrai – **7.** faux

Exercice **4** – page **14**
1. de; à; de – **2.** à; à – **3.** à; à

Exercice **5** – page **14**
1. Vous avez quel âge ? – **2.** Bonjour monsieur. **Quel est votre nom ?** – **3.** S'il te plaît, **quelle est ton adresse électronique ?** – **4. Tu habites où ?** – **5. Quelle est votre nationalité**, s'il vous plaît ?

Exercice **6** – page **14**
Dans l'ordre : 3 – 1 – 6 – 5

Exercice **7** – page **15**
1e – 2f – 3g – 4c – 5b – 6a – 7d

Exercice **8** – page **15**
1. ton – **2.** ton – **3.** votre – **4.** mes – **5.** Mon – **6.** Mon – **7.** Ses – **8.** votre

Exercice **9** – page **16**
1. ton – **2.** mon – **3.** Vos – **4.** ton – **5.** votre – **6.** son – **7.** mon – **8.** Son

Exercice **10** – page **16**

je	**tu**	**vous**	**il, elle**
suis présente*	habites t'appelles es commences	allez travaillez êtes	présente* a

Exercice **11** – page **16**
1. ai – **2.** êtes – **3.** habites – **4.** est – **5.** es – **6.** habite

Exercice **12** – page **16**
1. b – **2.** a – **3.** d / e – **4.** f – **5.** c – **6.** d / e

Exercice **13** – page **17**
1. Le père de Fabio s'appelle Inácio. – **2.** Non, il est brésilien. – **3.** Il est informaticien. – **4.** Non, elle est professeur de français. – **5.** Elle a 38 ans. – **6.** Elle est française. – **7.** Non, elle s'appelle Marianna. – **8.** Non, elle habite en France.

Exercice **14** – page **18**
Voici Lauro. **Il est** espagnol. **C'est** mon ami.
Il a 26 ans et **il est** étudiant. Il habite **à** Paris mais il vient **de** Madrid.

Exercice **15** – page **18**

Proposition de corrigé:

C'est mon frère. Il s'appelle Pablo et il a 27 ans. Il est espagnol et il habite à Valence. Il travaille chez Iberia.

Exercice **16** – page **18**

1. Voici – **2.** Elle – **3.** Il a – **4.** Elle – **5.** C'est – **6.** Il *ou* Elle

Exercice **17** – page **18**

1. C'est ; Il est – **2.** Elle est ; Elle est – **3.** c'est ; Il est – **4.** Elle est ; Elle est ; c'est

Exercice **18** – page **18**

a un boulanger
b un coiffeur
c un musicien
d un éditeur

Exercice **19** – page **19**

a. 06 **67** 14 **58** 38
b. 03 58 **23 65** 01
c. 01 31 **68** 47 **32**

Exercice **21** – page **19**

a)
a. 70 – **b.** 60 – **c.** 67 – **d.** 63 – **e.** 59 – **f.** 50
b)
a. trente-quatre – **b.** soixante et un – **c.** quarante et un – **d.** soixante et un – **e.** cinquante-trois – **f.** vingt et un

Exercice **22** – page **19**

Lina 19 ans française linadore@wanadoo.fr 01 44 41 25 89	Ahmed 38 ans marocain abenbah@iam.net.ma 048 84 25 03
Luis Paolo 31 ans portugais lpcosta@gmail.com 226 701 832	Makiko 26 ans japonaise makasai@nifty.ne.jp 03 5231 2112

Exercice **23** – page **20**

1. oui – **2.** oui – **3.** non – **4.** non – **5.** oui – **6.** oui

Exercice **24** – page **20**

1. Oui – **2.** Non – **3.** Oui – **4.** Si – **5.** Si

Exercice **25** – page **21**

	1	2	3	4	5	6	7
phrase a			×		×	×	
phrase b	×	×		×			×

Exercice **26** – page **21**

	Un homme	**Une femme**	**?**
1. Je suis libanais.	×		
2. Je suis suisse.			×
3. Je suis japonaise.		×	
4. Je suis mexicaine.		×	
5. Je suis belge.			×
6. Je suis espagnole.		×	
7. Je suis brésilienne.		×	
8. Je suis française.		×	

Exercice **27** – page **21**

a) 1. Angleterre – **2.** France – **3.** Turquie – **4.** Hongrie – **5.** Espagne

b) 1. Athènes – **2.** Vienne – **3.** Varsovie – **4.** Bruxelles – **5.** Lisbonne

unité **3** ***J'adore !*** pages 22 à 33

Exercice **1** – page **22**

Léa	Jean-Marc
a 22 ans. habite à Lyon. aime faire du sport. n'aime pas la télévision. est professeur.	habite à Lyon. a 25 ans. aime le cinéma. est professeur.

Exercice **2** – page **22**

1. moi – **2.** Vous – **3.** Toi

Exercice **3** – page **22**

1. vas ; vais ; allons ; allez ; vais
2. vont ; vont ; vas ; vais

Exercice **4** – page **23**

Ils : les livres – Elles : Aline et Isabelle – Nous : Marine et Paul

Exercice **5** – page **23**

1. je – **2.** Elles – **3.** Vous – **4.** Ils – **5.** Vous – **6.** Il – **7.** Elle – **8.** Tu

Exercice **6** – page **23**

a) a6 – b3 – c2 – d8 – e5

b) 1c – 2d – 3e – 4b – 5a

Exercice **7** – page **24**

1. de l'escalade – **2. du** ski – **3. de la** natation – **4. du** judo – **5. de la** gymnastique – **6. de la** course à pied

Exercice **8** – page **24**

	déteste	**aime bien**	**adore**
1. Le ski ? Ah ! oui, c'est génial !			×
2. Beurk ! C'est pas bon !	×		
3. Le cinéma américain ? Oui, c'est pas mal.		×	
4. C'est nul, cette musique !	×		
5. Mais si, j'aime le vin blanc, pas de problème !		×	
6. Ce film, il est extraordinaire !			×

Exercice **9** – page **24**

Proposition de corrigé:

1. Oui, j'aime bien le cinéma. – **2.** Ah ! non ! Je déteste le sport ! – **3.** Si, j'aime bien le cinéma. – **4.** Oui, j'aime beaucoup les voyages. – **5.** Non ! J'adore la musique ! – **6.** Euh… J'aime bien le français.

Exercice **10** – page **25**

1b – 2c – 3a – 4d

1. Christopher ; sa maison ; la télévision ; 31 ans
2. Saïd ; à Paris ; travailler ; aime beaucoup
3. Lucie ; déteste ; 25 ans ; le sport ; les petits chiens
4. Élodie ; les gros chiens ; les chats ; la télévision ; du sport

Exercice **11** – page **25**

C	I	N	Q								
I				O				S	I	X	
N		V		N				O			C
Q	U	I	N	Z	E		M	I	L	L	E
U		N		E				X			N
A		G						A			T
N		T		M				N			
T		–		I				T			S
E		D		L		T	R	E	N	T	E
		E		L							P
		U		E							T
D	I	X									

Exercice **12** – page **26**

a) Mille neuf cent soixante-treize : **1973** – Deux mille huit : **2008** – Mille cinq cent quinze : **1515** – Mille sept cent quatre-vingt-neuf : **1789** – Deux mille deux cent vingt-deux : **2222**

b) 1961 : **mille neuf cent soixante et un** – 2012 : **deux mille douze** – 1873 : **mille huit cent soixante-treize** – 1402 : **mille quatre cent deux** – 1991 : **mille neuf cent quatre-vingt-onze**

Exercice **13** – page **26**

a. 15 h 45 – **b.** 21 h 58 – **c.** 12 h 30 – **d.** 23 h 32 – **e.** 9 h 20

Exercice **14** – page **26**

	je, j'	tu	il, elle
aimer	aime	**aimes**	**aime**
être	**suis**	es	**est**
détester	**déteste**	**détestes**	déteste

	nous	vous	ils, elles
aimer	aimons	**aimez**	**aiment**
être	**sommes**	**êtes**	sont
détester	**détestons**	détestez	**détestent**

Exercice **15** – page **26**

1. Il – **2.** Je – **3.** Alice – **4.** Nous – **5.** Tu – **6.** Elles – **7.** Tu – **8.** Vous

Exercice **16** – page **27**

1. Il – **2.** On – **3.** Elle – **4.** on – **5.** On

Exercice **17** – page **27**

1c – 2b – 3a – 4e – 5d – 6f

Exercice **18** – page **27**

1. Vous allez voir Marie la semaine prochaine ? – **2. On adore** la cuisine japonaise. – **3. Elles sont** mexicaines. – **4. Vous travaillez** à Boulogne ? – **5. Ils habitent** dans une petite maison. – **6. Elle a** 40 ans en mars. – **7. Ils n'aiment pas** faire du sport. – **8. Ils aiment** beaucoup travailler ensemble.

Exercice **19** – page **28**

1. Ah ! non, je vais faire de la course à pied.
2. Ce soir, moi je vais aller au restaurant avec Patrice.
3. Oui, on aime beaucoup Paris. On va aller à la Cité des sciences.

Exercice **20** – page **28**

a) 1. Tu vas travailler pour les éditions Pixma ?
2. On ne va pas aller à Nice samedi prochain.
3. Elle va aller à *L'Entrepotes* avec sa sœur vendredi.
4. Je vais téléphoner à Nicolas ce soir.

b) 1. Alice et Christophe vont manger ensemble dans un restaurant chinois. – **2.** Vous allez adorer mon gâteau au chocolat ! – **3.** On ne va pas aller au Japon l'année prochaine. – **4.** Ils vont habiter à New York en 2009.

Exercice **21** – page **29**

1. faux – **2.** faux – **3.** on ne sait pas – **4.** faux – **5.** on ne sait pas

Exercice 22 – page 29
1. Quelle est ta nationalité? – **2.** J'aime beaucoup sa sœur, pas toi? – **3.** Où sont ses livres? – **4.** Nos amis arrivent lundi. – **5.** Leur bébé s'appelle Julie. – **6.** Je n'ai pas votre adresse.

Exercice 23 – page 30
1. Votre – **2.** mon; ma – **3.** ton – **4.** son – **5.** ma; Leur – **6.** son

Exercice 24 – page 30
Proposition de corrigé:
Moi, c'est Valérie. J'ai 25 ans et j'habite à Nice. J'adore le sport. Je fais du volley-ball et du ski dans les Alpes. J'aime le cinéma et sortir avec mes amis. Je n'aime pas la télévision et les chats. Le week-end prochain, je vais partir dans les Alpes avec ma sœur et trois amis. On va faire du ski et sortir le soir…

Exercice 25 – page 30
a) **1.** Il – **2.** Tu – **3.** Je – **4.** Vous – **5.** Il
b) s'appelle; a; aime; est; habitent

Exercice 26 – page 31
1. J'; l' – **2.** n'; le – **3.** t' – **4.** l' – **5.** n'; d' – **6.** l'; la – **7.** Je; le; j'; l' – **8.** C'; d'

Exercice 27 – page 31

	1	2	3	4	5	6
[y] *(salut)*	×				×	×
[u] *(bonjour)*		×	×	×		

Exercice 28 – page 31
1. se marier – **2.** naissance – **3.** mari; enfants – **4.** célibataire. – **5.** monoparentale

Exercice 29 – page 32
Carte n° 1

module 2 Échanger

unité 4 *Tu veux bien?* pages 33 à 41

Exercice 1 – page 33
Il y a une mouche dans mon café! – Pour Milan, il y a un vol à 9 heures – Il n'y a pas de problème. – Et à Istanbul, il y a un métro ? – Ce soir, à la télé, il y a un bon film espagnol.

Exercice 2 – page 33
1. peux – **2.** peut – **3.** veux – **4.** vient – **5.** pouvez – **6.** voulez – **7.** peux

Exercice 3 – page 33
1. pouvez – **2.** vient – **3.** veulent – **4.** voulons – **5.** venez – **6.** peut – **7.** veut – **8.** peux – **9.** viennent – **10.** peux

Exercice 4 – page 34
1. Vous **pourriez** venir lundi ? – **2.** Je **voudrais** parler au directeur. – **3.** Tu **pourrais** téléphoner à Sylvaine ? – **4.** Je **voudrais** une réponse demain. – **5.** Vous **pourriez** aller à Lausanne ? – **6.** Je **pourrais** entrer, deux minutes ? – **7.** Tu **pourrais** arroser mes plantes ? – **8.** Je **voudrais** aller avec toi.

Exercice 5 – page 34
1. écris – **2.** Vous pourriez venir – **3.** entrez – **4.** tu pourrais garder – **5.** Regarde – **6.** Vous pourriez épeler

Exercice 6 – page 35
1. on ne sait pas – **2.** faux – **3.** vrai – **4.** on ne sait pas – **5.** faux – **6.** vrai – **7.** faux

Exercice 7 – page 35
Propositions de corrigés:
1. Hiroshi,
Demain, je vais à l'université pour l'examen de DELF A1. Je ne peux pas aller à l'école pour le cours de français. Tu pourrais me téléphoner le soir ? Je voudrais le numéro des exercices dans le livre. Et tu pourrais parler au professeur ? Je suis désolé, mais j'ai un examen.
Merci.
Ingeborg

2. Béatrice
Je suis désolé, je suis malade, je ne peux pas venir au bureau aujourd'hui. Tu pourrais téléphoner à Beata Szponder et à Youssef Arrif ? Il y a un problème, ils ne peuvent pas aller à Bruxelles vendredi. Je vais écrire un message à Beata et Youssef demain.
Merci.
Franck

3. Chère Alexandra,
Tu sais, j'aime beaucoup ton chat. Mais il y a un problème. Je vais partir en vacances lundi. Je vais une semaine à Amiens. Ton chat ne peut pas rester dans l'appartement. Tu pourrais venir chez moi, samedi ou dimanche pour prendre ton chat ? S'il te plaît, téléphone-moi pour dire quand tu viens.
Bises
Thomas

Exercice 8 – page 35
1. avec – **2.** chez – **3.** chez – **4.** avec – **5.** chez – **6.** chez

Exercice 9 – page 36
1. vous – **2.** elle – **3.** toi – **4.** moi – **5.** moi – **6.** toi – **7.** moi

Exercice 10 – page 36
1. lui – **2.** eux – **3.** elle – **4.** elle – **5.** elles – **6.** lui

Exercice 11 – page 36
1. connais – **2.** connaissent – **3.** connaissez – **4.** connais – **5.** connaissons – **6.** connais

Exercice 12 – page 37
1. faux – **2.** vrai – **3.** on ne sait pas – **4.** on ne sait pas

Exercice **13** – page **37**
1. écrit – **2.** été – **3.** eu – **4.** compris – **5.** envoyé – **6.** voulu – **7.** fait

Exercice **14** – page **38**
1. avez reçu – **2.** a eu – **3.** avons téléphoné – **4.** as pris – **5.** a demandé – **6.** avez fait – **7.** ont dormi – **8.** as payé

Exercice **15** – page **38**
1. Vous **n'**avez **pas** compris ? – **2.** Elle **n'**a **pas** téléphoné à Louise. – **3.** Tu **n'**as **pas** bien dormi ? – **4.** Fabien **n'**a **pas** voulu venir avec moi. – **5.** Je **n'**ai **pas** pu faire l'exercice. – **6.** Julie **n'**a **pas** été très sympa. – **7.** Nous **n'**avons **pas** arrosé les plantes. – **8.** Vous **n'**avez **pas** visité le musée de l'Ermitage ?

Exercice **16** – page **38**
Proposition de corrigé :
1. J'ai donné 20 euros à Yukako. – **2.** Il a envoyé une lettre à son ami. – **3.** J'ai étudié le français au Mexique. – **4.** Tu as gardé le chat de Claire ? – **5.** Elle n'a pas arrosé mes plantes. – **6.** Ils ont cherché le professeur. – **7.** Tu as acheté un livre ? – **8.** Je n'ai pas trouvé la rue des Lutins.

Exercice **17** – page **38**

	1	2	3	4	5	6	7
verbe au présent	×		×			×	
verbe au passé composé		×		×	×		×

Exercice **20** – page **40**

	1	2	3	4	5	6	7	8
Vous entendez *le, la, l'* ou *les*.		×	×			×		×
Vous entendez *un, une* ou *des*.	×			×	×		×	

Exercice **21** – page **40**
1. l' – **2.** les ; la – **3.** une – **4.** des – **5.** une ; un – **6.** des – **7.** la – **8.** un – **9.** une – **10.** le

Exercice **22** – page **40**
1. Les étudiants arrivent à sept heures. – **2.** Ils sont chez un ami. – **3.** C'est très important. – **4.** Ils ont ton adresse ? – **5.** Vous avez des amis espagnols ? – **6.** On a pris un café.

Exercice **23** – page **40**
1. Vous avez des enfants ? – **2.** Ils habitent dans une maison ? – **3.** Louise a payé cent euros. – **4.** Elles aiment les exercices ? – **5.** Vous êtes japonais ? – **6.** On va chez eux dans une semaine. – **7.** Vous arrivez à vingt-deux heures ?

Exercice **24** – page **41**

	1	2	3
[s] (*son*)	☐ douce	☐ tresse	☒ bus
[z] (*visite*)	☒ douze	☒ treize	☐ buse

	4	5	6
[s] (*son*)	☒ russe	☐ bis	☐ casse
[z] (*visite*)	☐ ruse	☒ bise	☒ case

Exercice **25** – page **41**

	1	2	3	4	5	6	7	8
[s] (*son*)		×		×			×	
[z] (*visite*)	×		×		×	×		×

Exercice **26** – page **41**
Fini : luxembourgeois – Huit : belge – Dimanche : français – Sympa : canadien

Exercice **27** – page **41**
Proposition de corrigé :
2008 – France : Dimanche
2008 – Canada : Sympa
2009 – Belgique : Ici
2009 – Luxembourg : Grand
2011 – Canada : Vendredi, Voyage

unité 5 *On se voit quand ?* pages 42 à 54

Exercice **1** – page **42**
1. concert – **2.** exposition – **3.** anniversaire – **4.** dîner

Exercice **2** – page **42**
Qui écrit ? Nabila.
À qui ? À Anna.
Pour quoi ? Pour inviter Anna à son anniversaire.
Quand ? Le 6 avril de 14 heures à 19 heures.
Où ? 26, rue Marceau.
Téléphone 04 23 65 98 20

Exercice **3** – page **42**

	finir	**choisir**
je	**finis**	choisis
tu	**finis**	**choisis**
on	finit	**choisit**
nous	**finissons**	choisissons
vous	finissez	**choisissez**
elles	**finissent**	**choisissent**

Exercice **4** – page **43**
a) Tu veux venir… ? : **dialogue n° 4** – Je vous propose… : **dialogue n° 2** – Ça te dirait de… ? : **dialogue n° 1** – Je t'invite… : **dialogue n° 3**
b)

	1	2	3	4
La personne accepte	×	×		
La personne refuse			×	×

Non merci, ça ne me dit rien. : **dialogue 4**
Avec plaisir ! : **dialogue 1**
Je ne peux pas : **dialogue 3**

Exercice **5** – page **43**

Proposition de corrigé :

1. Je te propose d'aller dîner au *Temple du soleil*. – **2.** Ça vous dirait de venir dîner à la maison le 12 ? – **3.** Tu veux aller au cinéma, ce soir ? – **4.** Je vous propose de prendre un verre à *l'Entrepotes* demain à 18 heures. – **5.** Ça te dit d'aller dans ce nouveau restaurant au bord de la Seine, samedi ?

Exercice **6** – page **44**

Proposition de corrigé :

1. Je suis désolé, je ne suis pas libre demain. – **2.** Oh ! Avec plaisir ! – **3.** Ah ! oui ! merci de votre invitation. – **4.** D'accord mais samedi je ne peux pas. Dimanche ? – **5.** Oh ! oui, merci !

Exercice **7** – page **44**

Proposition de corrigé :

> Emmanuel,
> J'ai 25 ans samedi et on va faire une petite fête à la maison. Bien sûr, je t'invite ! C'est le 25 avril à 20 heures. Tu peux venir ?
> Grosses bises
> Amandine

Exercice **8** – page **44**

1. François appelle. – **2.** Il appelle Marie et Francis. – **3.** Il propose un dîner chez lui avec des amis. – **4.** Vendredi à 20 heures. – **5.** Maria va apporter un gâteau. – **6.** Marie et Francis vont apporter du vin rouge.

Exercice **9** – page **44**

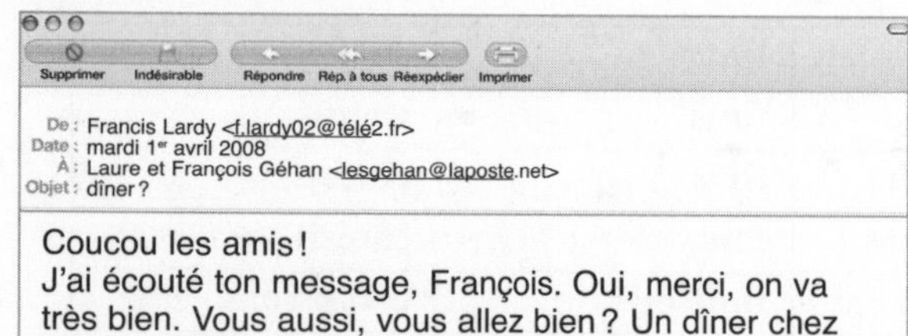

Supprimer Indésirable Répondre Rép. à tous Réexpédier Imprimer

De : Francis Lardy <f.lardy02@télé2.fr>
Date : mardi 1er avril 2008
À : Laure et François Géhan <lesgehan@laposte.net>
Objet : dîner ?

Coucou les amis !
J'ai écouté ton message, François. Oui, merci, on va très bien. Vous aussi, vous allez bien ? Un dîner chez vous vendredi soir ? Avec plaisir !
D'accord, on va apporter une bouteille de vin rouge.
Grosses bises à vous deux. À vendredi !
Francis

Exercice **10** – page **45**

1b – 2f – 3c – 4e – 5a – 6d

Exercice **11** – page **45**

1. Il ne nous écoute pas. – **2.** Vous ne me connaissez pas très bien. – **3.** Il ne t'a pas regardé ? – **4.** Elle m'invite à son anniversaire samedi. – **5.** Elle ne vous a pas compris. – **6.** Je ne t'excuse pas ! – **7.** On se voit la semaine prochaine ?

Exercice **12** – page **46**

1. te – **2.** m' – **3.** nous – **4.** t' ; te – **5.** me – **6.** se – **7.** vous

Exercice **13** – page **46**

janvier, **février**, mars, **avril**, **mai**, juin, **juillet**, **août**, septembre, **octobre**, **novembre**, décembre

Exercice **14** – page **46**

1. Antoine vient nous voir **dimanche.**
2. Alice et Luc vont se marier **le 22 août.**
3. Je vais faire du ski **en mars** *ou* **au mois de mars.**
4. La petite Léa est née **le 22 septembre 2003.**
5. Je vais faire un voyage au Népal **en 2010.**
6. On va chez Caroline et Fred **mardi soir.**
7. Vous pouvez venir **le lundi 16 novembre** ?
8. Il a des examens **en juin** *ou* **au mois de juin.**

Exercice **15** – page **47**

1. Pourquoi – **2.** quelle – **3.** Quels – **4.** Pourquoi – **5.** quel – **6.** quelles

Exercice **16** – page **47**

1a – 2c – 3d – 4b

Exercice **17** – page **48**

	Qui prend rendez-vous ?	Avec qui ?	Date du rendez-vous	Heure du rendez-vous
dialogue 1	**Madame Richaud**	**le docteur Razel**	**le vendredi 15 avril**	**18 h 00**
dialogue 2	**Madame Mozol**	**Cathy (coiffeuse)**	**le vendredi 12**	**10 h 30**

Exercice **18** – page **48**

Proposition de corrigé :

— Bonjour monsieur. Je voudrais un rendez-vous avec monsieur Delahaye, s'il vous plaît.
— Oui. Vous voulez venir quel jour ?
— C'est possible jeudi matin ?
— Ah non, monsieur Delahaye n'est pas là le jeudi. J'ai mardi, mercredi après-midi ou alors vendredi matin. Ou… la semaine prochaine.
— Mardi, c'est bien. C'est possible l'après-midi ?
— Oui, mardi après-midi, je vous propose 15 heures ou 15 h 40.
— Ah ! Mais je travaille, je finis à 16 heures. Après, c'est possible ?
— Après ? oui, c'est possible. 16 h 10, 17 heures ?
— 16 h 10, c'est très bien.
— Très bien. 16 h 10, le mardi 3 avril. **Votre nom, s'il vous plaît ?**
— Mallard. Christophe Mallard, avec deux L.
— Merci. Au revoir, monsieur Mallard !
— Merci, au revoir et à bientôt !

Exercice **19** – page **48**

1. Quel âge est-ce que tu as ? – **2.** Où est-ce qu'il habite, ton ami Julien ? – **3.** Où est-ce que vous allez manger ? – **4.** Est-ce qu'ils partent à Rennes samedi ? – **5.** Quand est-ce que vous allez à Londres ? – **6.** Est-ce qu'elle est mariée ?

Exercice **20** – page **49**

1. Tu vas venir avec Denis ? – **2.** Il s'appelle comment, le bébé de Manon et de Romain ? – **3.** Tu vas en Espagne quand ? – **4.** Vous connaissez Luna ? – **5.** Le cours de français commence à quelle heure ? – **6.** Tu as rendez-vous où avec ta mère ?

Exercice **21** – page **49**

Proposition de corrigé :

1. À quelle heure est-ce qu'il arrive ? *ou* Il arrive à quelle heure ?
2. Est-ce que Marianne danse bien ? *ou* Elle danse bien, Marianne ?
3. Pourquoi est-ce que tu pars maintenant ? *ou* Pourquoi tu pars maintenant ?
4. Où est-ce que vous habitez ? *ou* Vous habitez où ?
5. Est-ce que tu veux une bière ? *ou* Tu veux une bière ?
6. Comment est-ce qu'elle s'appelle ? *ou* Elle s'appelle comment ?

Exercice **22** – page **50**

a. 19 h 15 – **b.** 14 h 42 – **c.** 11 h 59 – **d.** 17 h 30 – **e.** 13 h 25 – **f.** 13 h 50

Exercice **23** – page **50**

a. douze heures *ou* midi
b. vingt heures cinq *ou* huit heures cinq
c. quatorze heures quarante-cinq *ou* trois heures moins le quart
d. dix-sept heures trente *ou* cinq heures et demie
e. dix-huit heures dix *ou* six heures dix
f. dix-neuf heures cinquante-cinq *ou* huit heures moins cinq
g. vingt-deux heures quinze *ou* dix heures et quart
h. zéro heure *ou* minuit

Exercice **24** – page **50**

a. Quatre heures moins le quart *ou* Quinze heures quarante-cinq
b. Cinq heures et quart *ou* Dix-sept heures quinze
c. Sept heures cinquante *ou* Huit heures moins dix
d. Une heure vingt-cinq *ou* Treize heures vingt-cinq
e. Neuf heures moins dix *ou* Huit heures cinquante

Exercice **25** – page **50**

1. 7 h 28 (sept heures vingt-huit) – **2.** 8 h 30 (huit heures et demie) ; 9 heures (neuf heures) – **3.** 20 h 45 (neuf heures moins le quart) – **4.** 14 h 45 (trois heures moins le quart) – **5.** 3 h 20 *ou* 15 h 20 (trois heures vingt) ; 2 h 50 *ou* 14 h 50 (trois heures moins dix) – **6.** 17 h 35 (six heures moins vingt-cinq)

Exercice **26** – page **51**

14 h 15	17 heures	19 heures	21 heures
JUNO de Jason Reitman	**PROMETS-MOI** de Emir Kusturica	**SWEENEY TODD** de Tim Burton	**NO COUNTRY FOR OLD MEN** de Joel et Ethan Coen
COWBOY de Benoît Mariage	**LUST CAUTION** de Ang Lee	**LES FAUSSAIRES** de Stefan Ruzowitzky	**SHOTGUN STORIES** de Jack Nichols
LE BANNISSEMENT de Andrej Zviaguintsev	**NO COUNTRY FOR OLD MEN** de Joel et Ethan Coen	**LE VOYAGE DU BALLON ROUGE** de Hou Hsiao-Hsien	**LE BANNISSEMENT** de Andrej Zviaguintsev
ELLE S'APPELLE SABINE de Sandrine Bonnaire	**LES ANIMAUX AMOUREUX** de Laurent Charbonnier	**GARAGE** de Lenny Abrahamson	**QUATRE MINUTES** de Chris Kraus
INTO THE WILD de Sean Penn	**LES AVENTURES DU PRINCE AHMED** de Lotte Reiniger	**LA FABRIQUE DES SENTIMENTS** de Jean-Marc Moutout	**DIDINE** de Vincent Dietschy

Exercice **27** – page **52**

1. Tu peu~~x~~ venir, s'il te plaî~~t~~ ? – **2.** J'aime la France et le françai~~s~~. – **3.** On va aller chez nos ami~~es~~ à Pari~~s~~. – **4.** Tu a~~s~~ une adress~~e~~ électroniq~~ue~~ ? – **5.** Il est quatre heure~~s~~ moin~~s~~ le quar~~t~~. – **6.** Ça fai~~t~~ combien, madame ?

Exercice **28** – page **53**

1. On va **ch**ez Marc ? – **2.** **J**e ne veux pas man**g**er dans ce restaurant **ch**inois. – **3.** Elle est très **j**olie, cette femme ! – **4.** Vous allez en Bel**g**ique en **j**uin ou en **j**uillet ? – **5.** Vous avez **ch**oisi, monsieur ? – **6.** Est-ce que tu pourrais garder mon **ch**at ? – **7.** On va **ch**er**ch**er **J**ean-**Ch**arles à l'école. – **8.** **J**'adore les voya**g**es !

Exercice **29** – page **53**

Document a : théâtre ; 10 avril 2008 à 20 h 30 ; 7 euros
Document b : musée ; 22 mars 2008 (à 11 h 02) ; 8,50 euros
Document c : exposition ; 9 mars 2008 (à 15 h 24) ; 5 euros
Document d : cinéma ; 3 février 2008 à 16 h 15 ; 9,90 euros
Document e : match de rugby ; 12 avril 2008 à 20 h 30 ; 41,50 euros
Document f : concert ; 30 avril 2008 à 19 h 30 ; 11 euros

Exercice **30** – page **54**

1f – 2b – 3c – 4e – 5d – 6a

unité 6 *Bonne idée !* pages 55 à 66

Exercice **1** – page **55**
1. de créer la première page d'un journal ou d'un magazine. – **2.** plusieurs journaux et magazines. – **3.** une photo et un texte – **4.** une photo et un texte. – **5.** par carte bancaire.

Exercice **2** – page **56**
1. offrez – **2.** offert – **3.** offrir – **4.** (n') offrons – **5.** offert – **6.** offrir

Exercice **3** – page **56**
1. de – **2.** à – **3.** à – **4.** de – **5.** du – **6.** à

Exercice **4** – page **57**
Proposition de corrigé:
1. Il ne me plaît pas beaucoup, je trouve que l'histoire n'est pas bonne. – **2.** Oh, on a adoré ! La Corse nous a beaucoup plu. – **3.** Oui, c'est super ! Ça me plaît beaucoup de pouvoir travailler avec elle. – **4.** Oh, oui. J'ai un ami qui habite à Lille et ça lui plaît beaucoup. – **5.** Oh, je crois qu'il ne lui a pas beaucoup plu. Elle a préféré le cadeau de Clémence. – **6.** Oui ! J'ai beaucoup aimé. Tous les livres d'Anna Gavalda me plaisent beaucoup.

Exercice **5** – page **57**
1b – 2a – 3d – 4c

Exercice **6** – page **57**
1. Quel – **2.** Quelles – **3.** Quelle – **4.** Quelle – **5.** Quel – **6.** Quelle – **7.** Quels – **8.** Quelles

Exercice **7** – page **58**

	1	2	3	4	5	6
Point de vue positif			×		×	×
Point de vue négatif	×	×		×		

Exercice **8** – page **58**
Proposition de corrigé:
1. Non ! Ce n'est pas vrai ! C'est nul, *Horton* ! – **2.** Bah, pourquoi ? Je trouve que c'est une ville agréable. – **3.** Tu aimes ? Moi, ça ne me plaît pas. Quelle horreur ! – **4.** Oui ? Oh, l'Allemagne, je n'aime pas beaucoup. Je préfère l'Espagne. – **5.** Non, pas Valérie ! Je trouve qu'elle n'est pas gentille. – **6.** Moi, j'adore l'appartement ! Tu as vu la chambre ?

Exercice **9** – page **58**
Proposition de corrigé:
La montre, je crois que c'est bien pour les femmes. Elles aiment avoir cinq ou six montres. Mais les hommes préfèrent avoir une montre. Moi, j'ai une montre et je ne veux pas une autre montre.
Un stylo, non, c'est nul. On peut acheter un stylo quand on veut, c'est facile. Les beaux stylos, c'est bien, mais je n'aime pas écrire avec un beau stylo, je préfère un stylo normal.
Le week-end dans un château, ça me plaît beaucoup. On ne peut pas dormir dans un château quand on veut. Je trouve que c'est une bonne idée. Oui, c'est vrai, quel beau cadeau !
Je n'aime pas le livre personnalisé. Je pense que ce n'est pas un bon livre. Il n'est pas bien écrit et l'histoire n'est pas bonne.

Exercice **10** – page **59**

masculin	**féminin**	**masculin et féminin**
beau bon grand joli original cher curieux	française vieille nulle nouvelle mauvaise	facile autre russe

Exercice **11** – page **59**
1. bon – **2.** nulle – **3.** autres – **4.** vieille – **5.** mauvais – **6.** beau – **7.** jolie – **8.** grande – **9.** nouvelle

Exercice **12** – page **59**
Proposition de corrigé:
1. un vieux monsieur – **2.** un petit singe – **3.** un grand arbre – **4.** une jolie fille – **5.** un bon gâteau

Exercice **13** – page **60**

masculin	vert	**noir**	**rouge**	bleu
féminin	**verte**	noire	rouge	**bleue**

masculin	**gris**	**blanc**	**jaune**	rose
féminin	grise	blanche	jaune	**rose**

Exercice **14** – page **60**
une coccinelle : rouge, noir – un éléphant : gris – un mouton : blanc – une girafe : marron, blanc – une banane : jaune – une cerise : rouge – une orange : orange – un kiwi : vert

Exercice **15** – page **60**
l'Allemagne : noir, rouge, jaune – la Colombie : jaune, bleu, rouge – le Gabon : vert, jaune, bleu – la Suède : jaune, bleu – le Vietnam : jaune, rouge – la Bretagne : noir, blanc

Exercice **16** – page **61**
— Il y a combien d'étudiants dans la classe ?
— Dix-huit, je crois.

— S'il vous plaît, ça fait combien ?
— Alors, deux cafés et un thé… 8,40 euros.

— Ça coûte cher ?
— Oui, un peu. 250 ou 300 euros.

— Bon, alors, il y a combien de cafés ?
— Quatre cafés et un déca.

Exercice **17** – page **61**
1. combien de – **2.** combien – **3.** combien – **4.** Combien d' – **5.** combien – **6.** combien d'

Exercice **18** – page **61**
Proposition de corrigé:
1. Combien de personnes travaillent dans l'école? – **2.** C'est combien, le stylo rouge? – **3.** Vous avez combien d'enfants ? – **4.** Combien d'argent je peux donner?

Exercice **19** – page **62**
1. du; le – **2.** l'; son; son – **3.** de l'; l' – **4.** le; de l'

Exercice **20** – page **62**
1. peu de – **2.** assez d' – **3.** trop de – **4.** beaucoup d' – **5.** trop d' – **6.** un peu de

Exercice **21** – page **62**
1. les enfants: Ils ont beaucoup d'enfants. – **2.** l'argent: Il a peu d'argent. – **3.** la neige: Il y a trop de neige. – **4.** l'eau: Il n'y a pas assez d'eau. – **5.** les personnes: Beaucoup de personnes prennent le métro.

Exercice **22** – page **63**
1. Je **n'**ai **pas** d'amis à Paris. – **2.** Tu **ne** bois **pas** de thé? – **3.** Elle **n'a pas** de travail. – **4.** Vous **n'**avez **pas** d'argent? – **5.** On **n'a pas** pris de carte bancaire. – **6.** Il **n'**y a **pas** eu de problème? – **7.** On **n'a pas** trouvé de cadeau.

Exercice **23** – page **63**
1. Tu la connais?
2. Elle va les recevoir demain.
3. Je ne l'ai pas vu.
4. Vous pouvez les offrir à votre femme.
5. Est-ce que tu l'as vu?

Exercice **24** – page **63**
1. Je ne sais pas. Je ne **les** connais pas. – **2.** Oui, oui, je vais **les** arroser ! – **3.** Euh… le chat **l'**a mangé! – **4.** Non. Je vais **la** voir demain. – **5.** Non, je ne **l'**aime pas. – **6.** Oui, je pense, je vais **les** inviter. – **7.** Ton message? Je ne **l'**ai pas reçu. – **8.** Non… je vais **l'**acheter demain.

Exercice **25** – page **64**
1. Oh, oui, elle l'adore! – **2.** Oui. Tu veux l'acheter? – **3.** Excusez-moi! Je vous connais? – **4.** Oui, oui, je pense, je vais l'inviter. – **5.** Oui, je les ai pris. – **6.** Non, mais je vais la voir demain.

Exercice **26** – page **64**

	un disque	un livre	une montre	un stylo
Adrien	**non**	**non**	**oui**	**non**
Benoît	**oui**	**non**	**non**	**non**
Charles	**non**	**non**	**non**	**oui**
Driss	**non**	**oui**	**non**	**non**

Exercice **27** – page **65**

	1	2	3	4	5	6	7	8	9	10	11	12	13
I	C	O	M	B	I	E	N		N	O	M		
II	O		O		L		U		O		O		B
III	N	O	I	R	E		L	U	N	D	I		O
IV	N			U			L				S	O	N
V	A	C	C	E	P	T	E						J
VI	I		A		A			C	B		T		O
VII	S		D	E	S		C	H	A	T	E	A	U
VIII			E				H	E	R	O	S		R
IX			A	D	O	R	E	R		U			
X	P	E	U		F		Z			R			V
XI		T			F			S	O	I	R	E	E
XII	V	E	N	D	R	E	D	I		S			R
XIII	O		O		E		I			T			T
XIV	L	I	S	E	Z		X		R	E	S	T	E

Exercice **28** – page **66**
1. J'ai reçu un cadeau. – **2.** Oui, le français est facile! – **3.** Ça coûte cinquante centimes. – **4.** Il y a combien de leçons? – **5.** Comment va François?

Exercice **29** – page **66**
1. Tu veux un grand café? – **2.** Je vais regarder la télé. – **3.** Il travaille beaucoup. – **4.** C'est un cadeau curieux. – **5.** J'ai pris un gâteau au café. – **6.** Tu peux garder mon chat?

Exercice **30** – page **66**
1. grand – **2.** écouter – **3.** groupe – **4.** cours – **5.** gare – **6.** quand – **7.** coûter – **8.** gris

module 3 Agir dans l'espace

unité 7 *C'est où ?* pages 67 à 79

Exercice **1** – page **67**
a4 – b1 – c2 – d7 – e5 – f3 – g6

Exercice **2** – page **67**
1. Je ne trouve pas ta rue sur le plan. – **2.** Ils n'ont plus assez d'argent. – **3.** Je ne les connais pas beaucoup. – **4.** Pourquoi est-ce que tu ne viens plus me voir ? – **5.** Je ne vois pas de lait dans le frigo. – **6.** Je n'ai pas envie de garder ton chat.

Exercice **3** – page **68**
a) **1.** fait – **2.** fais – **3.** faites – **4.** fait – **5.** faisons – **6.** font
b) ***Proposition de corrigé :***
1. On pourrait aller à Paris, c'est une bonne idée! – **2.** Je vais chez Marie, on doit travailler ensemble. – **3.** Oui, samedi! Et vous êtes invité! – **4.** Elle fait de la natation. – **5.** Bon, alors vous avez la carte? – **6.** Mais non, ils font la fête!

Exercice **4** – page **68**
tout droit – à droite – jusqu'à – autour – à droite – tout droit – au coin

Exercice **5** – page **68**
1. Clément téléphone à Caroline. – **2.** Il cherche la rue de Strasbourg parce qu'il a rendez-vous avec Caroline. – **3.** Il va prendre la rue de Paris. – **4.** Il va tourner à gauche. – **5.** Le rendez-vous est au *Café des Arts*, à 17 h 30.

Exercice **6** – page **69**
Proposition de corrigé :
1. Où est la librairie *Le livre*, s'il vous plaît ? – **2.** Je cherche la rue d'Ulm, s'il vous plaît. – **3.** Pardon, où se trouve l'avenue Béranger ? – **4.** Vous connaissez la place de la 3ᵉ armée, s'il vous plaît, monsieur ? – **5.** Excusez-moi, la piscine, c'est loin ? – **6.** La Banque de France, s'il vous plaît ?

Exercice **7** – page **69**

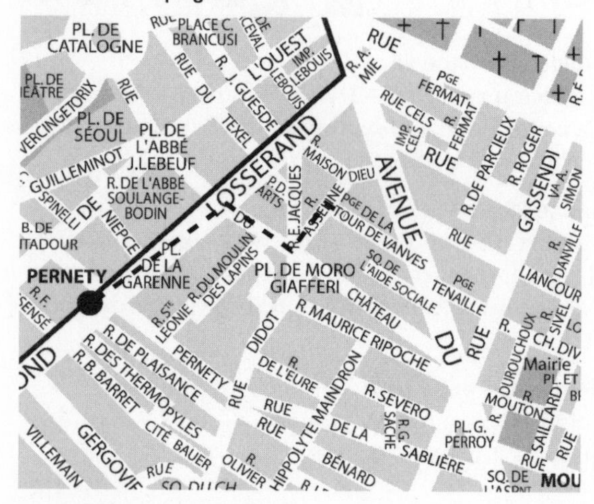

Exercice **8** – page **70**
Proposition de corrigé:
— Bonjour Madame. excusez-moi, la rue Gassendi, c'est loin ?
— Non, pas du tout, c'est très près d'ici. Vous prenez là, la rue Pernety. Continuez et prenez la 2ᵉ rue à gauche. C'est la rue Didot.
— D'accord, la rue Didot… Et après ?
— Après, vous allez prendre la 2ᵉ rue à droite ; je crois que c'est la rue Maurice Ripoche.
— D'accord…
— Vous allez arriver sur une grande avenue, l'avenue du Maine. Traversez cette avenue et prenez la grande rue, à gauche, c'est la rue Gassendi.
— Très bien. C'est clair. Merci beaucoup, madame !
— Je vous en prie. Au revoir !
— Au revoir et encore merci !

Exercice **9** – page **70**
a) **Prenez** la première rue à gauche après le pont, puis **tournez** à gauche juste après la Banque nationale de Paris. **Continuez** tout droit jusqu'à la place Suffren. **Passez** devant le musée de la Marine et **allez** tout droit jusqu'à la Seine.
b) Bon, alors **sors** de la gare et **tourne** à droite. **Monte** la rue des Anglais et **prends** la petite rue à droite, juste après le cinéma « Le studio ». **Continue** tout droit sur 100 ou 150 mètres et **tourne** à gauche, avenue de la Maine. Là, **prends** la première rue à droite, rue du roi René. J'habite là, au numéro 21.

Exercice **10** – page **71**
1. Apprends les conjugaisons et **lis** les tableaux de l'unité. – **2.** Le soir, chez toi, **relis** les dialogues et les exercices et **écoute** le CD. – **3. Fais** deux ou trois exercices du cahier chaque jour. – **4. Regarde** des films en français et **essaye** (*ou* **essaie**) de comprendre dans l'ensemble. – **5.** Dans la classe, **n'hésite pas** à parler en français, c'est bien pour apprendre ! – **6. Travaille** avec des amis ; à deux ou trois, on peut s'aider.

Exercice **11** – page **71**
1. Allons au grec, ça va changer un peu. – **2.** Oui, **rentrons** à la maison boire un thé bien chaud ! – **3.** C'est vrai, **trouvons** une autre idée ! – **4.** Bonne idée, **allons** l'attendre ! – **5.** Oui, je suis d'accord. **Changeons** nos méthodes de travail !

Exercice **12** – page **72**
1b – 2f – 3e – 4c – 5d – 6a

Exercice **13** – page **72**
1. Ne fais pas – **2.** N'écoutez pas – **3.** Ne va pas – **4.** Ne prenez pas – **5.** N'allez pas – **6.** Ne viens pas – **7.** Ne travaille pas – **8.** Ne vous excusez pas

Exercice **14** – page **73**
1f – 2g – 3c – 4a – 5h – 6e – 7d – 8b

Exercice **15** – page **73**
1. au – **2.** du – **3.** de l' – **4.** à la – **5.** aux – **6.** des – **7.** du – **8.** de la

Exercice **16** – page **73**
1. as – **2.** suis – **3.** es – **4.** sont – **5.** n'a – **6.** avez – **7.** sommes ; avons – **8.** a

Exercice **17** – page **74**
1. allée – **2.** téléphoné – **3.** partis – **4.** passées – **5.** pris – **6.** venus – **7.** tombée – **8.** vu

Exercice **18** – page **74**

	voir	faire	vouloir	finir
phrase	1	3	2	8
participe passé	**vu**	**fait**	**voulu**	**fini**

	pouvoir	savoir	avoir	plaire
phrase	7	5	4	6
participe passé	**pu**	**su**	**eu**	**plu**

Exercice 19 – page 74

1. sont venus – **2.** n'a pas pu – **3.** sont retournées – **4.** sont repartis – **5.** ont été – **6.** ont eu – **7.** n'ai pas répondu – **8.** n'ont pas dit; sont partis

Exercice 20 – page 74

1. tu as choisi; J'ai pris – **2.** Elle est partie; Elle n'est pas partie; elle est restée – **3.** Tu n'es pas allé(e); ils sont allés – **4.** Vous avez lu; Vous l'avez aimé; je l'ai adoré – **5.** Pedro a envoyé; Manon lui a écrit; Pedro n'a pas lu; il n'a pas répondu

Exercice 21 – page 75

Proposition de corrigé:

Samedi dernier, Stéphanie et Jérôme sont allés à l'anniversaire de François en moto. Samedi, il a plu toute la journée et quand ils sont rentrés, la moto a glissé et ils sont tombés. Stéphanie a été à l'hôpital mais elle est restée seulement une nuit. Jérôme a eu de la chance, il n'a rien eu du tout. Son père est venu le chercher et il a pu rentrer chez lui. Stéphanie et Jérôme ont eu peur mais ils vont bien.

Exercice 22 – page 75

a) 1c – 2a – 3d – 4b

b) a une télévision – **b** un lavabo – **c** un miroir – **d** une douche

Exercice 23 – page 76

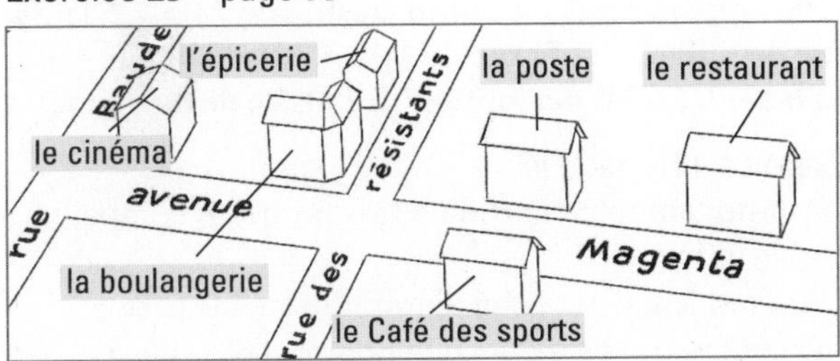

Exercice 24 – page 76

Fiche A: A = Hôtel Panthéon – B = Café de la poste – C = Boulangerie – D = La poste – E = Restaurant Goa – F = Banque nationale de Paris – G = Café *L'ailleurs* – H = Théâtre de la ville

Fiche B: 1 = Brasserie des sports – 2 = Hôtel de ville – 3 = Gare SNCF – 4 = Pharmacie – 5 = Café *Chez Michel* – 6 = Église Sainte-Marie – 7 = Magasin de chaussures – 8 = Office de tourisme

Exercice 25 – page 77

35ᵉ: n° **2** – 13ᵉ: n° **5** – 1ᵉʳ: n° **6** – 12ᵉ : n° **4** – 21ᵉ : n° **8** – 72ᵉ : n° **7** – 2ᵉ : n° **1** – 25ᵉ : n° **3**

Exercice 26 – page 77

1. Vous pouv**ez** tourn**er** à droite, s'il vous pl**aît** ? – **2.** Tu as visit**é** le mus**ée** des Arts premi**ers** ? – **3.** Ferm**ez** la fenêtre, s'il vous pl**aît** ! – **4.** Tu **ai**mes le sport à la télévision ? – **5.** Tu veux all**er** au ciném**a**, ce soir ? – **6.** J'**ai** oubli**é** m**es** clés à la m**ai**son.

Exercice 27 – page 77

a)

	1	2	3	4	5	6
[p]		×			×	×
[b]	×		×	×		

b)

	1	2	3	4	5	6
premier mot					×	×
deuxième mot	×	×				
troisième mot			×	×		

Exercice 28 – page 78

a3 – b4 – c1 – d2

Exercice 29 – page 79

a Université des sciences, Agen – **b** Palais de justice, Évreux – **c** Les Champs Libres, Rennes – **d** Institut du monde arabe, Paris

Exercice 30 – page 79

1a – 2b – 3c – 4d – 5c – 6d – 7b

unité 8 *N'oubliez pas !* pages 80 à 91

Exercice 1 – page 80

	Vient de quel pays ?	Habite où maintenant ?	Pourquoi en France ?	Qu'est-ce qui lui manque de son pays ?
1	**Salvador**	**Nice**	**études de médecine**	**le soleil**
2	**Kenya**	**Paris**	**travail (Total)**	**les plages, les forêts, les animaux**
3	**Italie (sud)**	**Lille**	**mari français**	**les pâtes et le café**

Exercice 2 – page 80

MANQUER : 1. John va manquer à Marie. *ou* John va lui manquer. – **2.** Leurs amies du Canada manquent aux filles. *ou* Leurs amies du Canada leur manquent. – **3.** Sa famille manque un peu à Setsuko. *ou* Sa famille lui manque un peu. – **4.** Leur ville ne manque pas du tout à Alia et Toni. *ou* Leur ville ne leur manque pas du tout.

PLAIRE : 1. Ces vacances ont plu à vos amis ? *ou* Ces vacances leur ont plu ? – *ou* **2.** Les églises modernes plaisent à ton père ? *ou* Les églises modernes lui plaisent ? – **3.** Le film d'Ang Lee n'a pas plu à Isabelle? *ou* Le film d'Ang Lee ne lui a pas plu? – **4.** Mon gâteau va plaire à mes copains… *ou* Mon gâteau va leur plaire…

Exercice 3 – page 81

1c – 2d – 3a – 4f – 5e – 6b

Exercice **4** – page **81**

1. Non, je n'**en** parle pas à Marie. Elle va s'inquiéter. – **2.** Demain? Non, je n'**en** ai pas très envie. – **3.** Je vais **en** parler à mes amis. – **4.** Ah! oui, j'**en** ai encore rêvé la semaine dernière. – **5.** Oui, d'accord, mais, tu leur as parlé? Qu'est-ce qu'ils **en** pensent?

Exercice **5** – page **82**

1b – 2f – 3a – 4c – 5e – 6d

Exercice **6** – page **82**

1. Ne marchez pas sur le trottoir. – **2.** Il ne faut pas attendre Michel – **3.** Tu ne dois pas partir maintenant. – **4.** N'allez pas visiter le nouveau musée des Arts! – **5.** Il ne faut pas écrire en rouge. – **6.** Ne pas entrer sans sonner. – **7.** Ne reste pas là, s'il te plaît.

Exercice **7** – page **82**

1e – 2f – 3a – 4d – 5c – 6b

Exercice **8** – page **83**

1. devez – **2.** devons – **3.** doit – **4.** dois – **5.** dois – **6.** doivent

Exercice **9** – page **83**

1. peux – **2.** peuvent – **3.** veux – **4.** doit – **5.** peuvent – **6.** devez – **7.** doivent – **8.** voulons

Exercice **10** – page **83**

Antoine,

Pour utiliser la machine à laver, **mets les vêtements** dans la machine à laver. Ensuite, **verse** la lessive dans le bac et **ferme** la porte de la machine. Après, **tourne le bouton de droite** pour choisir la température, puis **choisis le programme de lavage** avec le bouton de gauche. Enfin, **appuie sur le bouton** « marche ».

Exercice **11** – page **84**

	Qui donne le conseil ?	Pourquoi ?	Comment ?
2	**un professeur**	**pour aider ses étudiants**	**vous pourriez…**
3	**un professeur de sport**	**pour expliquer les exercices**	**respire, lève, recommence**
4	**une employée de banque**	**pour informer un(e) client(e)**	**il faut…**
5	**un jeune garçon**	**pour aider sa sœur**	**tu pourrais…**

Exercice **12** – page **84**

Proposition de corrigé:

1. Tu pourrais manger de la viande tous les jours, tu sais… – **2.** Il ne faut pas dire ça, pense à l'avenir! – **3.** Il faut peut-être en parler à ton médecin ? – **4.** Ne t'inquiète pas, ça va aller. – **5.** Il faut vous présenter à la réception avant d'aller dans la salle d'attente. – **6.** Partez un peu en vacances!

Exercice **13** – page **85**

1d – 2e – 3g – 4a – 5b – 6f – 7c

Exercice **14** – page **85**

1. quelqu'un; personne – **2.** quelque chose – **3.** Personne – **4.** Quelqu'un – **5.** rien – **6.** rien – **7.** Rien; Quelque chose – **8.** quelque chose; rien

Exercice **15** – page **86**

1. Tous les vendredis, on va au café *L'Entrepotes* qui est très sympathique. – **2.** Tu connais la belle femme brune qui est près de la fenêtre? – **3.** Je voudrais revoir les photos qui sont sur la petite table. – **4.** On peut manger le pain que tu as acheté ce matin? – **5.** J'ai beaucoup aimé le film que j'ai vu avec ma sœur et son ami Martin. – **6.** J'aimerais retourner dans la ville où j'ai rencontré ma femme. – **7.** Il faut retourner au restaurant grec où tu as dîné hier soir. – **8.** Vous avez aimé le spectacle que nous avons vu mercredi?

Exercice **16** – page **86**

1	2	3
a, b, e	**b, c, f, g**	**b, d**

Exercice **17** – page **87**

1. que; que; qui – **2.** qu'; où; qui; que – **3.** que; qui

Exercice **18** – page **87**

1. les: **mes parents** – l': **mon voisin** – l': **Mia** – **2.** la: **la rue de Milan** – la: **la rue de Milan** – la: **la rue de Milan** – leur: **les personnes (de l'office de tourisme)**

Exercice **19** – page **88**

pronoms compléments directs – pronoms compléments indirects

1. Quand je l'ai vu, je lui ai tout raconté. – **2.** Tu m'écoutes, tu es sûr? – **3.** Un homme m'a aidé à porter ma valise et je lui ai offert un café. – **4.** Je ne les connais pas beaucoup mais je les aime bien. – **5.** Je vais leur téléphoner ce soir pour leur demander pourquoi ils ne viennent pas dimanche. – **6.** Il m'a expliqué son problème mais je ne le comprends pas. – **7.** Elle t'a écrit ou elle t'a appelé? – **8.** Je leur ai prêté mon CD et ils l'ont perdu.

Exercice **20** – page **88**

1. lui *ou* leur – **2.** m' – **3.** t' *ou* leur – **4.** lui; l' – **5.** m' *ou* l' – **6.** les – **7.** lui ; l'

Exercice **21** – page **88**

1e – 2d – 3c – 4f – 5a – 6b

Exercice **22** – page **89**

[ə] (*venir*)	[e] (*allé*) ou [ɛ] (*mère*)
demain, demande, devoir	belle, reste, vert, exercice, cinéma, entrée, tête, réponse, terre

Exercice **23** – page **89**

b) règle – déchire – décline – écluse – fenêtre – église – écrire – être

Exercice **24** – page **89**

veste – espère – exemple – merci – verse – étrange – elle – cesse – règle – belge – offert

Exercice **25** – page **89**

1. Il est beau ce vélo, il est à Véro ou à toi, Bertille? – **2.** Bruno part au Burundi en octobre ou en novembre. – **3.** Tu veux boire une bière, un apéritif? – **4.** Vous voulez voir la vieille ville, c'est bien ça? – **5.** Tu viens bientôt à Strasbourg? – **6.** Venez vite, on va prendre le bus vingt-deux pour aller à Bastille.

Exercice **26** – page **90**

	Où?	Avec qui?	A aimé? (*oui* ou *non*)	Relevez les mots qui le montrent.
1	**à la Guadeloupe**	**Louis et les enfants**	**oui**	**bonheur – très gentils – adoré**
2	**en Nouvelle-Calédonie**	**seule**	**non**	**trop loin – je ne voudrais pas aller là-bas tous les mois – pas drôle**
3	**à Tahiti**	**Marco, son mari**	**oui**	**un rêve – un magnifique cadeau – le rêve**
4	**en Martinique**	**ses deux frères et sa sœur**	**oui**	**c'est magnifique – vraiment magnifique**

Exercice **27** – page **90**

a La Réunion, capitale: Saint-Denis – **b** La Guyane, capitale: Cayenne – **c** La Martinique, capitale: Fort-de-France – **d** La Guadeloupe, capitale: Pointe-à-Pitre

Exercice **28** – page **90**

1. La Martinique, la Guadeloupe, Saint-Martin. – **2.** J'ai seulement 1 100 € pour ce voyage. Je peux aller en Martinique ou en Guadeloupe. Je vais pouvoir rester 8 jours. – **3.** Je veux du calme et du silence, il faut éviter d'aller aux Bahamas.

unité 9 ***Belle vue sur la mer!*** pages 92 à 105

Exercice **1** – page **92**

1. vrai – **2.** faux – **3.** faux – **4.** faux – **5.** vrai – **6.** on ne sait pas – **7.** faux

Exercice **2** – page **93**

1. avoir des informations sur un voyage. – **2.** à une agence de voyage. – **3.** au mois de juin. – **4.** parce qu'il ne peut pas choisir ses dates de voyage. – **5.** 990 euros. – **6.** beaucoup de personnes veulent aller au *Village tropical.*

Exercice **3** – page **93**

1. Tous – **2.** toute – **3.** tous – **4.** toutes – **5.** tout – **6.** toute

Exercice **4** – page **93**

1. toutes – **2.** tous – **3.** tout – **4.** toute – **5.** tous – **6.** tout – **7.** toutes – **8.** toute

Exercice **5** – page **94**

Proposition de corrigé:

Fougères est une ville de 20 000 habitants. Elle est située en Bretagne, dans le nord de la France. Elle est à 50 kilomètres de Rennes et du Mont-Saint-Michel. Il y a un vieux château à Fougères. Le centre de la ville est joli et on peut faire beaucoup de sports.
La ville n'est pas grande et il n'y a pas de train. Pour prendre le train, il faut aller à Rennes.

Exercice **6** – page **94**

1. J'aime beaucoup les romans anglais. – **2.** Je voudrais offrir un joli cadeau à Anaïs. – **3.** Ils habitent au dernier étage. – **4.** Je vais vous donner deux autres exercices. – **5.** C'est une personne sympathique. – **6.** On a vu des paysages merveilleux. – **7.** Je pense que Fougères est une ville agréable. – **8.** Qu'est-ce que tu penses de la chemise rouge?

Exercice **7** – page **95**

1. On a rencontré des touristes japonais. – **2.** Il y a de belles plages au Mexique. – **3.** À l'est de la ville, il y a des immeubles modernes. – **4.** On va acheter de nouveaux ordinateurs. – **5.** Est-ce que tu connais des restaurants sympathiques à Paris? – **6.** Le mois dernier, j'ai eu de gros problèmes. – **7.** Est-ce que vous avez d'autres livres? – **8.** Oh, si, on a vu des choses intéressantes.

Exercice **8** – page **95**

On va manger dans un restaurant au bord de la mer. – L'hôtel est au sud de la ville. – Dijon est à 300 km de Paris. – La cathédrale est située dans le centre-ville.

Exercice **9** – page **95**

Proposition de corrigé:

1. La Lorraine est à l'est de la France. – **2.** L'Aquitaine est au sud de la France. – **3.** Les Pays de la Loire sont à l'ouest de la France. – **4.** L'Auvergne est au milieu de (au centre de) la France. – **5.** Le Nord-Pas-de-Calais est au nord de la France. – **6.** La Franche-Comté est à l'est de la France. – **7.** La Guyane française est au nord du Brésil. (au nord de l'Amérique du Sud) – **8.** La Réunion est à l'est de Madagascar. (à l'ouest de l'Océan indien)

Exercice **10** – page **96**

1. Excusez-moi, où **se trouve** la bibliothèque, s'il vous plaît ? – **2.** Pour faire des cadeaux, **on trouve** de jolis souvenirs dans la boutique du musée. – **3.** La Guadeloupe **se trouve** au nord de l'Amérique du Sud. – **4.** S'il vous plaît, où **se trouvent** les toilettes ? – **5. On trouve** beaucoup d'exercices dans ce livre.

Exercice **11** – page **96**

Proposition de corrigé:

Saint-Tropez est une petite ville de 5 600 habitants. Elle se trouve au sud de la France, au bord de la mer Méditerranée. Elle est à environ 100 kilomètres de Marseille, de Monaco et de l'Italie.
Dans le centre de la ville, on trouve le vieux port avec beaucoup de bateaux de luxe, des boutiques et des restaurants. Il y a beaucoup de touristes à Saint-Tropez. C'est une ville très connue et un bon nombre de chanteurs et d'acteurs viennent passer leurs vacances à Saint-Tropez. C'est une ville riche avec de grands hôtels de trois et quatre étoiles.

Exercice **12** – page **97**

1. ce – **2.** cette – **3.** cet – **4.** ces – **5.** Cette – **6.** ces – **7.** cette – **8.** ce

Exercice **13** – page **97**

1. Attends ! Je n'ai pas vu **cette photo** ! – **2.** C'est pour qui, **ce cadeau** ? – **3.** Quand est-ce qu'on va changer **cet ordinateur** ? – **4. Cet étudiant est excellent** ! – **5.** Non, je n'ai pas fait **cet exercice**. – **6.** Où tu as trouvé **ce journal norvégien** ? – **7. Ce prix est** pour le mois de mai. C'est plus cher en juin. – **8.** On ne prend pas **cette carte bancaire**.

Exercice **14** – page **97**

1. Non, pas cette semaine ! Elle **y** est allée la semaine dernière. – **2.** Euh, attends, je vais **y** être du 13 au 25 janvier. – **3.** Va au magasin Hémisphère sud. On **y** trouve beaucoup d'idées. – **4.** Oh, oui, on **y** est bien, on a un bon travail, une belle maison… – **5.** Oh, non, on **y** est déjà allé, je ne l'aime pas beaucoup. – **6.** Ah, oui, j'**y** ai trouvé de très bons exercices. – **7.** Non, c'est la première fois qu'elle **y** va.

Exercice **15** – page **98**

1. leur – **2.** n'y – **3.** lui – **4.** y ; elle – **5.** le ; lui – **6.** l' – **7.** leur

Exercice **16** – page **99**

1. l'Albanie – **2. la** Belgique – **3. la** Chine – **4. le** Congo – **5. le** Danemark – **6. l'**Égypte – **7. les** États-Unis d'Amérique – **8. la** Grèce – **9. les** Pays-Bas – **10. le** Japon – **11. le** Koweit – **12. le** Laos – **13. la** Mauritanie – **14. le** Mexique – **15. les** Philippines – **16. la** Russie – **17. l'**Uruguay – **18. le** Vietnam

Exercice **17** – page **99**

1. du ; en ; à – **2.** en ; aux ; au ; en ; d' – **3.** en ; au – **4.** du ; Du ; de – **5.** De ; de ; À ; aux

Exercice **18** – page **99**

Proposition de corrigé:

Catarina est née en Roumanie. – Adam vient du Portugal. – Chloé travaille au Togo. – Il apprend l'espagnol à Mexico. – Audrey aimerait aller en Asie. – Il est parti aux Pays-Bas. – Je l'ai acheté à Paris. – Tu reviens quand des Pays-Bas ? – Arun habite en Thaïlande.

Exercice **19** – page **100**

Perpignan

– Sud de la France.
– 120 000 habitants.
– Entre la mer Méditerranée et les montagnes des Pyrénées.
– À 10 km : plage du Canet.
– À 90 km : station de ski de Font-Romeu.
– Sport : rugby, voile, randonnée.
– Université : 10 000 étudiants.
– À visiter : Palais des Rois de Majorque (XIIIe siècle) ; Cathédrale Saint-Jean (XIVe siècle).

Exercice **20** – page **101**

1. Je rencontre Ibrahim tous les mois. – **2.** Je ne suis pas venu au Sénégal avant. – **3.** On est allé en Bretagne avant, en 2005, 2006, 2007 et 2008. – **4.** Je n'ai pas écrit au directeur.

Exercice **21** – page **101**

1b – 2d – 3e – 4a – 5c

Exercice **22** – page **101**

Proposition de corrigé:

1. Oui, j'y suis allé plusieurs fois. Je voudrais y aller encore. – **2.** Je n'y suis jamais allé. – **3.** Oui, j'y vais souvent. – **4.** Non, jamais. – **5.** Oui, je fais souvent du sport. **6.** Oui, souvent.

Exercice **23** – page **102**

	1	2	3	4	5	6	7	8	9	10	11	12	13	14	15	16	17	18	19
I	S	A	L	U	T		O	R	A	N	G	E			F	O	R	E	T
II	O				A		C		R				S		R		O		O
III	C	H	A	M	B	R	E		G		S	T	Y	L	O		S		U
IV	I		G		L		A	V	E	C			M	A	I	R	E		R
V	E		R		E		N		N		R	A	P	I	D	E			I
VI	T	R	E	S	S	E			T			R	A	T		P			S
VII	E		A				C			P	O	N	T		P	E	T	I	T
VIII			B		R		O				U		H		A	T	E	L	E
IX	F	I	L	L	E		M	A	G	N	I	F	I	Q	U	E			
X			E		N	O	M			O			Q		V	R	A	I	E
XI	B			A	T	T	E	N	D	S		O	U		R				T
XII	L				R		N		I			R	E	V	E	I	L	L	E
XIII	A	D	O	R	E		T		S	U	R	E	S				A		
XIV	N		F			G			C			I		S	A		V	A	S
XV	C	A	F	E		A	C	C	U	E	I	L	L	I	R		A	G	E
XVI			R			R			T			L	U		R		B	E	L
XVII	Q	U	I	T	T	E		M	E	S		E	N	V	I	R	O	N	
XVIII	U		R		O					U			D		V			C	A
XIX	I			A	N	N	I	V	E	R	S	A	I	R	E		Y	E	N

Exercice **24** – page **103**

	1	2	3	4	5	6	7	8
[e] (*départ*)		×		×	×			×
[ɛ] (*chère* ou *être*)	×		×			×	×	

Exercice **25** – page **103**
1. rivière – **2.** fêter – **3.** après – **4.** père – **5.** numéro – **6.** fenêtre – **7.** enchanté – **8.** génial – **9.** répète – **10.** prénom

Exercice **26** – page **103**
1. Il a eu un j**o**li vél**o** bl**eu**. – **2.** C'est **o**riginal mais tr**o**p danger**eux**. – **3.** Je vous pr**o**pose j**eu**di proch**ain**. – **4.** Elle possède des ph**o**tos merveill**eu**ses. – **5.** Le studi**o** est au numér**o** cent d**eux**.

Exercice **27** – page **105**
Proposition de corrigé:
Marianne: Elle aime pouvoir étudier et travailler dans différents pays.
Guillaume et Béatrice: Ils aiment voyager dans les pays de l'UE sans problème de passeport. Ils aiment aussi rencontrer des personnes.
Bettina: Elle a deux pays, l'Allemagne et la France. Pour elle, les pays de l'UE sont comme des régions d'un grand pays.
Fabien: Il travaille avec des personnes de différents pays. Il aime les différentes nationalités de l'UE.

Exercice **28** – page **105**
1. vrai – **2.** on ne sait pas – **3.** on ne sait pas – **4.** vrai – **5.** vrai – **6.** vrai – **7.** faux – **8.** vrai – **9.** on ne sait pas – **10.** on ne sait pas – **11.** vrai

module **4** **Se situer dans le temps**

unité **10** ***Quel beau voyage!*** pages 106 à 116

Exercice **1** – page **106**
a) 1c – 2a – 3d – 4e – 5b
b) a Vêtements et couleurs
b Jour de marché
c La calebasse
d Le sorgho
e L'habitat traditionnel

Exercice **2** – page **107**
1. kilo – **2.** part – **3.** bouteille – **4.** tasses – **5.** morceau – **6.** litre

Exercice **3** – page **107**
un verre de vin – un kilo de pommes de terre – une tasse de café – un sachet de thé – une boîte de chocolats – une bouteille de vin – une part de tarte – un morceau de sucre

Exercice **4** – page **107**
1. sur un marché. – **2.** à la pièce. – **3.** 3 € la barquette de 500 grammes. – **4.** a des cerises de France. – **5.** trois salades pour 2 €. – **6.** des melons, des fraises, des cerises et des salades. – **7.** 22,20 €.

Exercice **5** – page **108**
le; à la; la; les; la; grammes; le; deux; les trois

Exercice **6** – page **109**
1d – 2g – 3a – 4c – 5e – 6f – 7h – 8b

Exercice **7** – page **109**
1. te réveilles – **2.** s'ennuie – **3.** me rase – **4.** m'habille – **5.** nous installons – **6.** s'inquiète – **7.** s'arrête – **8.** te lèves

Exercice **8** – page **109**
a) 1. Ne vous levez pas tôt demain matin! – **2. Ne t'arrête pas** ici, s'il te plaît! – **3. Ne nous habillons pas** en noir. – **4. Ne te couche pas**!
b) 1. Tu **ne** t'es **pas** coiffée ce matin? – **2.** Nous **ne** nous sommes **pas** inquiétés pour lui. – **3.** Je **ne** me suis **pas** assise là. – **4.** Il **ne** s'est **pas** ennuyé pendant ses vacances.

Exercice **9** – page **110**
1c – 2b – 3a – 4f – 5d – 6e

Exercice **10** – page **110**
1. Vous voulez vous asseoir là? – **2.** On s'amuse beaucoup avec nos amis de Lyon. – **3.** Pourquoi est-ce que tu vas te coucher? – **4.** Habille-toi vite, il est sept heures et demie! – **5.** Non, je ne m'ennuie jamais quand tu es là. – **6.** Dépêchons-nous, on va être en retard. – **7.** Julie ne se rappelle pas où elle a mis ses clés. – **8.** Ne vous inquiétez pas, on ne va pas s'ennuyer.

Exercice **11** – page **111**
Ordre des actions: a, b, 1, 2, c, 3, 4, d

Exercice **12** – page **111**
Ordre: e – d – b – a – c

Exercice **13** – page **111**
Proposition de corrigé:
Ce matin, je me suis levée à huit heures. J'ai pris une bonne douche et ensuite un petit-déjeuner avec un café, du pain, du beurre et deux œufs. Ensuite, je me suis habillée, je me suis coiffée et j'ai donné à manger à mon chien, Titus. Je me suis maquillée et j'ai quitté la maison à 8 h 50 pour être au bureau à 9 heures. C'est tout près de chez moi.

Exercice **14** – page **112**
1. assez – **2.** trop *ou* si – **3.** un peu – **4.** très – **5.** beaucoup – **6.** trop *ou* très – **7.** tellement

Exercice **15** – page **112**
1. Bruno et Juliette parlent des vacances d'été. – **2.** Bruno propose une semaine de randonnée dans les Alpes parce que Juliette aime la montagne. – **3.** Juliette refuse parce qu'elle est fatiguée. – **4.** Elle voudrait aller au bord de la mer et se reposer. – **5.** Bruno n'est pas d'accord parce qu'il pense qu'il y a trop de monde au bord de la mer en été et qu'ils n'ont pas assez d'argent. **6.** Non, la discussion n'est pas calme parce qu'ils ne sont pas d'accord. – **7.** Je pense que Bruno essaie de faire plaisir à Juliette et que Juliette n'est jamais contente. Elle est trop fatiguée et elle pleure beaucoup. **8.** Ils ne décident rien. Juliette pleure et Bruno va se promener un moment.

Exercice **16** – page **113**
Proposition de corrigé:
Elle est un peu fatiguée, aujourd'hui.
Attends-moi, tu marches trop vite!
Tu parles beaucoup mais tu ne fais rien…

Exercice **17** – page **113**
dialogue 1: une voiture – **dialogue 2:** des cafés – **dialogue 3:** de l'argent – **dialogue 4:** beaucoup de travail – **dialogue 5:** du sel

Exercice **18** – page **113**
1. Ah! non, je n'**en** ai plus. – **2.** J'**en** fume cinq par jour; c'est trop, oui, je sais… – **3.** Oui, je vais **en** prendre un morceau. – **4.** Oui, elle **en** a deux. – **5.** Non merci, je n'**en** bois pas.

Exercice **19** – page **113**
Proposition de corrigé:
1. Elle a envoyé un message à Laurent ? – **2.** Tu as bien compris l'exercice 18 ? – **3.** Tu as des timbres pour nos cartes postales ? – **4.** Tu aimes le lait, toi ? – **5.** Et Arnaud, il va bien maintenant ? – **6.** Vous avez des fraises, s'il vous plaît ?

Exercice **20** – page **114**
1. Non, j'en connais trois. *ou* Oui, j'en connais beaucoup. – **2.** Oui, j'en bois. – **3.** J'en ai trente-cinq. *ou* J'en ai peu. – **4.** Oui, je vais le prendre. *ou* Non, je vais prendre un poulet avec des frites. – **5.** Oui, il y en a deux! *ou* Non, il n'y en a pas.

Exercice **21** – page **114**
1. Habite-t-il à Angers ou au Mans ? – **2.** Pourquoi t'énerves-tu ? – **3.** Avez-vous vu mes nouvelles chaussures ? – **4.** Pourrais-tu m'aider, s'il te plaît ? – **5.** As-tu invité Xavier et Mélanie à ton anniversaire ? – **6.** A-t-elle fait tous les exercices ? – **7.** Aimez-vous la cuisine chinoise ? – **8.** Vas-tu prendre le bus pour aller chez Laura ?

Exercice **22** – page **115**
1. Comment est-ce qu'on va y aller? Comment va-t-on y aller? – **2.** Tu veux du chocolat? Veux-tu du chocolat? – **3.** Est-ce que vous vous êtes bien reposés? Vous êtes-vous bien reposés?

Exercice **23** – page **115**
1. Quand vous ont-ils parlé de ce problème ? – **2.** As-tu demandé quelque chose à Louis? – **3.** À quelle heure t'es-tu levé ce matin ? – **4.** Comment va-t-on aller à Barcelone ? – **5.** Pourquoi êtes-vous parti si tôt hier soir? – **6.** S'appelle-t-il Pierre ou Jean-Pierre?

Exercice **24** – page **115**
Proposition de corrigé:
1. Pourquoi pleures-tu ? – **2.** Comment s'appelle-t-elle ? – **3.** Où habite-t-il ? – **4.** Comment allez-vous ? – **5.** Aime-t-elle le sport ? – **6.** As-tu des frères et des sœurs ?

Exercice **25** – page **116**
1. père – **2.** peine – **3.** plaît; fenêtre – **4.** vais; maison – **5.** Mais; chère; problème

Exercice **26** – page **116**
1. Un peu de pain, vous avez faim ? – **2.** C'est promis, je viens demain matin. – **3.** On a reçu une invitation pour une exposition de peinture. – **4.** Cinq personnes sont intéressées par le voyage en Finlande. – **5.** J'ai un examen lundi et je sais que ça ne va pas être simple.

Exercice **27** – page **116**

	1	**2**	**3**	**4**	**5**	**6**	**7**	**8**
[ɛ]	×			×	×		×	
[ɛ̃]		×	×			×		×

unité **11** ***Oh! joli!*** pages 117 à 126

Exercice **1** – page **117**
1. rouge et pulpeuse: **la bouche** – **2.** longues et fines: **les mains** – **3.** chargé de bracelets: **le bras** – **4.** pointu: **le nez** – **5.** d'un bleu vif: **les yeux**

Exercice **2** – page **117**
Proposition de corrigé:
se ressembler: Mes sœurs sont jumelles mais elles ne se ressemblent pas beaucoup.
naturelle: Elle est jolie et elle n'aime pas se maquiller, elle est très naturelle.
vêtements: Ma sœur porte toujours des vêtements gris ou noirs, très discrets.
yeux: Christophe est petit, brun et il a les yeux noirs.

Exercice **3** – page **117**
1e – 2a – 3f – 4b – 5d – 6c

Exercice **4** – page **118**
a Clémence – **b** Sophie

Exercice **5** – page **118**
Proposition de corrigé :
1. Elle est vieille et un peu forte. Elle a un petit nez et des yeux bleus. – **2.** Il est petit et gros et il a l'air drôle. – **3.** Elle est brune aux cheveux longs et raides. Elle porte un chapeau. – **4.** Il est blond aux yeux noirs et il a l'air triste.

Exercice **6** – page **118**
a) **1.** faux – **2.** on ne sait pas – **3.** vrai – **4.** on ne sait pas – **5.** faux – **6.** on ne sait pas – **7.** vrai
b) Renée **habite** à Paris et elle s'occupe de l'**immeuble** qui se trouve au 7 de la rue de Grenelle. Elle dit qu'elle est un peu **grosse** et qu'elle n'est pas **grande.** Elle n'a pas de **mari** et elle vit avec son **chat.**
Paloma est une **jeune** fille de 12 ans. Ses parents ont beaucoup d'**argent** et elle pense qu'un jour elle sera **riche** aussi. Son père a été **ministre** puis député. Elle dit que sa mère n'est pas très **intelligente** mais qu'elle a fait de bonnes **études.**

Exercice **7** – page **119**
1. comme ; se ressemblent – **2.** vous ressemblez ; même – **3.** ressemble à ; pareil ; aussi ; aussi ; mêmes ; mêmes

Exercice **8** – page **120**
Proposition de corrigé :
1. Elles sont jumelles, mes sœurs ; elles ont les mêmes yeux, les mêmes cheveux, le même sourire… Elles sont complètement **pareilles.** – **2.** Non, non, il fait 1,80 mètre et moi, seulement 1,76 mètre. Il est plus **grand** ! – **3.** Oh, c'est **pareil**, c'est toujours un kilo. Oui, oui, **ce n'est pas différent.** – **4.** 3,10 €, **c'est pareil.** – **5.** Non, c'est vrai. Stéphanie est **différente** de sa mère : plus petite, un peu plus mince et elle porte des lunettes.

Exercice **9** – page **120**
Propositions de corrigés :
se ressembler
— Il a quel âge, ton frère ?
— 26 ans, pourquoi ?
— Je trouve que vous vous ressemblez beaucoup.
— Oui, je suis plus vieux mais c'est vrai, on se ressemble.

ce n'est pas pareil
— Tu veux sortir, je te propose d'aller au cinéma et ça ne va pas !
— J'ai envie de me promener, de voir les magasins, pas d'aller dans un cinéma, ce n'est pas pareil !
— Ah ! bon…

Exercice **10** – page **120**
Proposition de corrigé :
Ma mère est petite, un peu forte. Elle a les cheveux frisés et des petits yeux bleus. Je suis grande, assez mince, j'ai les yeux bleus et les cheveux longs et raides. Ma mère est brune et moi châtain. On a les mêmes yeux mais on ne se ressemble pas beaucoup. Je crois que je ressemble plus à mon père.

Exercice **11** – page **121**
Accord : 1, 3, 6, 8 – Désaccord : 2, 4, 5, 7

Exercice **12** – page **121**
Proposition de corrigé :
dessin a
— Mais vous plaisantez ? On a déjà changé la date de notre emménagement ! maintenant, tout doit être prêt !
— Ne vous inquiétez pas, monsieur Arnoux, votre maison est bientôt finie.
— Quoi ? Bientôt finie ?
— Oui, dans une semaine, vous allez pouvoir habiter ici.
— Mais bien sûr que non ! Il y a encore beaucoup de choses à faire. Donnez-moi une date précise, s'il vous plaît !
— Bon, est-ce que le vendredi 20, ça va ?
— Oui, d'accord, mais je dois être sûr de cette date.
— Oui, oui, vendredi 20.
— C'est sûr ?
— Oui, absolument !
dessin b
— Mais pourquoi est-ce que vous n'êtes pas content, ami de la Terre ? Je viens vous faire une gentille visite…
— Je ne suis pas content parce que vous posez votre machine dans mon jardin, je ne suis pas d'accord !
— Un jardin ? Mais c'est quoi, un jardin ?
— Mais vous plaisantez ? Vous ne voyez pas ici, les légumes dans la terre ?
— Euh… non… Il y a des légumes ici ?
— Bah oui, des carottes, des salades… et il ne faut pas écraser tout ça avec votre machine. Qu'est-ce que je mange, moi, après ?
— Euh… d'accord mon ami, pardon. Mais, je peux revenir bientôt ?
— Oui, mais vous posez votre machine là-bas, sur la place ou dans le pré.
— D'accord, pas de problème ! Vous êtes fâché ?
— Non, un peu, c'est tout…
— Alors, à bientôt, ami de la Terre !
— D'accord, à bientôt, ami de Mars !

Exercice **13** – page **121**
Proposition de corrigé :
Je ne suis pas d'accord !
— On vient chez toi à 18 heures, on prend ta voiture et on va chez Marc.
— C'est loin, chez Marc ?
— Non, il faut 40 minutes en voiture.
— Je ne suis pas d'accord ! pourquoi est-ce qu'on prend ma voiture ? Toi aussi, tu as une voiture, non ?

Oui, c'est une bonne idée !
— Vous voulez dîner au restaurant ce soir ?
— Oui, avec plaisir. On peut aller au nouveau restaurant mexicain qui est place de la Liberté. Ça vous dit ?
— Oui, c'est une bonne idée !

Exercice **15** – page **122**

a) Dialogue 1 : *arriver* au passé composé, *être* et *vouloir* à l'imparfait – **Dialogue 2 :** *aller* au présent, *venir* et *attendre* à l'impératif, *finir* au passé composé – **Dialogue 3 :** *téléphoner* au passé composé, *faire*, *lire*, *penser* et *dormir* à l'imparfait – **Dialogue 4 :** *vouloir* au présent, *boire* au passé composé

b) 1. êtes arrivée ; suis arrivée ; étais ; voulais – **2.** Viens ; va ; attendez ; ai ; fini – **3.** faisiez ; ai téléphoné ; lisais ; pensais ; dormiez – **4.** veux ; ai ; bu

Exercice **16** – page **123**

	je	tu	il, elle, on
être	**étais**	**étais**	**était**
aller	**allais**	**allais**	**allait**
finir	**finissais**	**finissais**	**finissait**

	nous	vous	ils, elles
être	**étions**	**étiez**	**étaient**
aller	**allions**	**alliez**	**allaient**
finir	**finissions**	**finissiez**	**finissaient**

Exercice **17** – page **124**

1. est rentrée ; a eu ; préparait – **2.** avons visité ; faisait ; avait ; a fait ; s'est baigné – **3.** as aimé ; as pris ; étaient – **4.** était ; avait ; entendait

Exercice **18** – page **124**

Le lundi 6 mai **est arrivé**… Je me **suis levé** à 7 heures, je **me suis préparé** et j'**ai pris** mon petit-déjeuner. Je n'**avais** pas très faim parce que je me **posais** beaucoup de questions sur l'école, les cours, les gens. Le rendez-vous **était** à 9 heures dans la salle « Cervantes ». J'**ai pris** le métro, ligne 4, et je **suis arrivé** à l'école à 8 h 30. J'**étais** donc en avance. Je **suis allé** demander à l'accueil où **était** la salle et je **suis monté** au premier étage. Devant la salle, une jeune femme **attendait**, comme moi. Elle m'**a dit**, en anglais, qu'elle **attendait** pour son premier cours d'espagnol. Je lui **ai répondu** aussi en anglais et lui **ai dit** que moi aussi. À son accent, j'**ai deviné** qu'elle **était** française, comme moi, et je lui **ai posé** la question en français : exact ! On **a** beaucoup **ri** et on **est allés** prendre un café ensemble avant notre premier cours. J'**avais** une copine avant même de rentrer dans ma nouvelle classe et tout **allait** bien !

Exercice **19** – page **125**

Proposition de corrigé :

Je suis arrivé à l'école à 8 h 30. Les cours commençaient à 9 heures. J'étais un peu inquiet parce que tout le monde dit toujours que le français est une langue difficile. En plus, je connaissais seulement ma langue, pas d'autre langue étrangère. Je ne connaissais personne dans l'école et je ne savais pas où je devais aller. J'ai demandé à l'accueil et une jeune femme m'a dit que tout le monde allait passer un test dans la grande salle du premier étage. Un test… j'étais surpris… Je suis monté au premier étage et j'ai trouvé la grande salle. Il y avait beaucoup de personnes. Je me suis assis et j'ai attendu… Deux personnes sont arrivées. Un homme, grand, mince avec des petites lunettes sur le nez. Il n'avait plus de cheveux et avait l'air très sympathique. Il y avait aussi une femme, petite, un peu forte, blonde avec des cheveux frisés. Elle portait un jean et une veste noire. L'homme a parlé en premier. Il nous a dit qu'il était le directeur et il nous a souhaité la bienvenue.
Ensuite, la femme, qui était professeur, nous a expliqué qu'on allait faire un petit test pour connaître notre niveau.
Moi, je n'avais jamais fait de français, alors, je n'ai rien compris au test…
Le lendemain, c'était le premier cours. Il y avait les listes de classes sur les murs. J'ai cherché mon nom ; j'étais dans la classe 01 avec Jean-Luc Amgar, dans la salle 106. J'ai trouvé la salle 106, je suis entré dans la classe et Jean-Luc m'a dit bonjour en français. J'ai juste répondu « bonjour ! ».
Après, le travail a commencé. Dans ma classe, personne ne connaissait le français et Jean-Luc était très sympathique et drôle. On riait toujours beaucoup avec lui et j'ai appris le français très vite, sans problème.
Ce n'est pas difficile le français !

Exercice **20** – page **125**

	1	2	3	4	5	6
1er mot		×	×		×	
2e mot	×			×		×

Exercice **21** – page **125**

	1	2	3	4	5	6	7	8
[a]		×		×	×			
[ã]	×		×			×	×	×

Exercice **22** – page **125**

1. Pr**en**ds un peu de s**a**l**a**de, il **en** reste. – **2.** On p**a**rt tous **en**s**em**ble v**en**dredi ? – **3.** On v**a** **a**cheter un c**a**deau pour Ag**a**the. – **4.** On ne peut plus **a**tt**en**dre, on v**a** être **en** retard ! – **5.** Elle n'a pas **en**t**en**du qu**an**d il lui a dit « salut ! ». – **6.** Il y **a** qu**a**tre c**an**did**a**ts mais le dernier est un peu l**en**t.

Exercice **23** – page **126**

a) 1. Un tract d'association. – **2.** Lutter contre la publicité qui est partout. – **3.** L'homme moderne est une victime.

b) *Proposition de corrigé :*

Je pense que ce document est drôle mais aussi assez triste. Le dessin est drôle : on voit un homme dans une belle voiture ; il porte de beaux vêtements et il tient dans la main un fer à repasser, objet moderne. En effet, il

montre bien que nous sommes victimes de la publicité. L'homme a sur la tête une télévision ; on peut penser qu'il a tellement d'objets inutiles qu'il ne sait plus où les mettre et en a donc aussi sur la tête mais on peut aussi penser que sa tête, ses pensées, n'existent plus vraiment mais sont influencées par tous les messages de la télévision et des médias (journaux, magazines, etc.).
Oui, je pense que nous sommes très influencés par la publicité, par les modes et que même si on dit le contraire, nous en sommes victimes. Si on réfléchit un peu, on voit bien qu'on aime tous porter des vêtements à la mode ou acheter des objets modernes, même s'ils ne sont pas toujours nécessaires à notre vie.

unité 12 *Et après ?* pages 127 à 138

Exercice 1 – page 127
a) a un accordéon – **b** une guitare – **c** un trombone – **d** une trompette – **e** un piano
b) Dans la chanson, on entend le piano, l'accordéon, la trompette et le trombone.

Exercice 2 – page 127
Ma chérie,
Et oui, tu es partie. Tu me dis que tu veux commencer une nouvelle vie. Mais, dis-moi, tu ne regrettes rien ? Et moi, je n'ai plus rien, alors… Je ne croirai plus jamais en rien. Et puis, je ne veux pas t'oublier, ça non ! Je voulais qu'on s'aime passionnément, tous les deux. Non, ce n'est pas possible, tu vas revenir, tu n'es pas très loin. Oui, tu vas revenir et ce sera très bien.

Exercice 3 – page 128
1. Tu **t'en vas** à quelle heure, demain matin ? – **2.** Bon, il est tard, je vais **m'en aller**. – **3.** Il pleure parce qu'il veut rester chez sa grand-mère. Il ne veut jamais **s'en aller**. – **4.** Tu vas où ? Tu **t'en vas** déjà ? – **5.** On se décide maintenant : on reste ou on **s'en va**. – **6.** Clothilde **s'en est allée** ce matin à huit heures.

Exercice 4 – page 128
1. quitter – **2.** s'en va – **3.** a quitté – **4.** s'en va – **5.** quitte(ra) – **6.** s'en va

Exercice 5 – page 128
1c – 2e – 3a – 4b – 5f – 6d

Exercice 6 – page 128
1. en – **2.** dans – **3.** dans – **4.** en – **5.** en – **6.** dans

Exercice 7 – page 129
Passé : 3 – Présent : 1 ; 5 – Avenir : 2 ; 4 ; 6

Exercice 8 – page 129
1. Oui, j'y vais, j'adore Calogero ! – **2.** Oui, je vais faire un poulet, d'accord. – **3.** Mes amis viendront me chercher chez moi. – **4.** Oui, je vais le quitter.

Exercice 9 – page 129
quittera ; fera ; voyagera ; chercheront ; iront ; commenceront ; visiteront ; verront ; vivront ; essaieront (*ou* essayeront)

Exercice 10 – page 130
a) ***Proposition de corrigé :***
Mon signe : Poissons
b) 1. vrai – **2.** vrai – **3.** faux – **4.** vrai – **5.** faux – **6.** on ne sait pas
c) ***Proposition de corrigé :***
Poissons
Travail : Vous rencontrerez des problèmes avec un collègue. Vous devrez rester très calme et continuer à bien faire votre travail.
Amour : Le grand bonheur cette semaine. Vous serez amoureux et on sera amoureux de vous. Profitez de ces beaux moments !
Santé : Attention aux coups de froid ! Couvrez-vous bien.

Exercice 11 – page 131
a) 1d – 2a – 3f – 4c – 5e – 6b
b) 1. faux : Le week-end sera assez beau. – **2.** faux : Le temps sera doux. – **3.** faux : Il y aura des nuages sur la partie nord du pays. – **4.** faux : Il pleuvra sur la Normandie et la Bretagne. – **5.** faux : Il fera 18° à Paris et 24° à Marseille. – **6.** faux : Il ne pleuvra pas. – **7.** faux : Le soleil brillera sur toute la partie sud du pays. – **8.** faux : Les nuages vont disparaître. – **9.** vrai

Exercice 12 – page 132

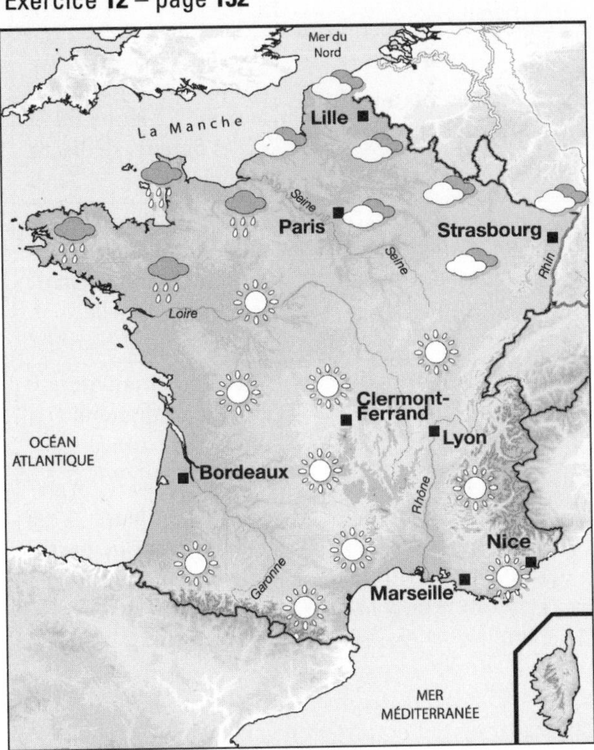

Exercice **13** – page **132**
Proposition de corrigé:
Aujourd'hui, il y a du vent et il pleut sur tout le pays, sauf sur la partie sud où le soleil brille. Les températures sont douces.
Demain, le soleil reviendra sur tout le pays et il fera beau et très chaud.

Exercice **14** – page **133**
1. Cécile écrit à Béatrice pour lui souhaiter une bonne fête. – **2.** Le 13 février est le jour de la Sainte Béatrice, donc on souhaite une bonne fête à toutes les personnes qui s'appellent Béatrice. – **3.** Béatrice habite à Rouen. – **4.** La grand-mère de Béatrice va bientôt fêter son anniversaire. La fête aura lieu le 14 mars. – **5.** Non, le cadeau sera un voyage aux Antilles. – **6.** Cécile a trois enfants: deux jumelles et Léo. – **7.** Jeff est le mari de Cécile. – **8.** Cet été, Béatrice va aller à Mandelieu.

Exercice **15** – page **134**
1. Bonne journée! – **2.** Bonne nuit! – **3.** Bon week-end! – **4.** Bonne fête! – **5.** Bonnes vacances! – **6.** Santé! / À votre santé!

Exercice **16** – page **134**

	Qui?	Situation
1	La famille ou les amis d'une personne qui fête un succès (réussite à un examen, nouveau travail…).	Tout le monde boit du champagne et lève son verre à la santé de la personne qui a réussi.
2	Des parents à leur fille qui part en voyage.	Ils sont à la gare et la jeune fille va prendre le train. La jeune fille et ses parents se disent au revoir.
3	Des amis et la famille fêtent l'anniversaire d'Antoine.	Le gâteau d'anniversaire arrive et tout le monde chante la chanson traditionnelle: « Joyeux anniversaire ».
4	Des personnes d'une même famille ou des amis.	On est le 1er janvier et ils se souhaitent une bonne année.
5	Le soir, des parents partent dîner au restaurant ou chez des amis et laissent leurs enfants seuls à la maison.	Les parents embrassent leurs enfants avant de partir et leur demandent de bien fermer la porte derrière eux.

Exercice **17** – page **134**
1. compreniez – **2.** finisses – **3.** aide – **4.** dises – **5.** parte – **6.** voient – **7.** vienne – **8.** regarde

Exercice **18** – page **135**
1. viendra – **2.** prenne – **3.** sortira – **4.** apprennes – **5.** partirons

Exercice **19** – page **135**
Indicatif: 3; 4 – Subjonctif: 1; 2; 5; 6

Exercice **20** – page **135**
1. Achète-le, il est vraiment très beau! – **2. Téléphonez-leur** ce soir, ça ira très bien. – **3. Prends-en** trois, s'il te plaît! – **4. Attends-la** cinq minutes, elle va arriver. – **5. Parlez-en** au directeur, s'il vous plaît. – **6. Va** le voir, c'est un film excellent! – **7. Retournons-y** en août, c'est un pays tellement magnifique! – **8. Explique-lui**, il comprendra très bien.

Exercice **21** – page **136**
1. N'y va pas tout de suite! – **2.** Ne me regarde pas! – **3.** Ne l'appelle pas! – **4.** Ne lui donne pas ton numéro de téléphone. – **5.** Ne t'arrête pas ici. – **6.** Ne me laissez pas seul. – **7.** Ne nous couchons pas tard. – **8.** Ne vous asseyez pas ici.

Exercice **22** – page **136**
Proposition de corrigé:
1. Et oui, dépêche-toi, on t'attend! – **2.** Offre-lui et tu verras! – **3.** Mange-le, tu en as envie! – **4.** Asseyez-vous et reposez-vous un peu! – **5.** Vas-y, on finira le travail ce soir! – **6.** Levons-nous à 6 heures!

Exercice **23** – page **137**
1. Salut Léon! – **2.** C'est la honte! – **3.** Quel joli pot! – **4.** J'ai un gros bobo. – **5.** Comme c'est bon! – **6.** Regarde le pinceau. – **7.** Ils font du riz – **8.** Il a fait un petit rond.

Exercice **24** – page **137**

	1	2	3	4	5	6	7	8
[o]		×		×	×			
[õ]	×		×			×	×	×

Exercice **25** – page **137**
1. Attenti**on** de ne pas t**om**ber! – **2.** Il y a du m**on**de devant son bur**eau**. – **3.** On a visité un très b**eau** chât**eau**. – **4.** Tu t'es levé tr**o**p t**ô**t! – **5.** J'ai acheté un hebd**o** et les journ**aux** d'**au**jourd'hui. – **6.** Cette pièce est très s**om**bre. – **7.** Il y avait de b**on**s chev**aux**.

Exercice **26** – page **138**
Les Ogres de Barback: 2; 4; 5 – Ariane Moffatt: 1 – Amadou et Mariam: 3